STADT

TY

DKAT
RGER
ER-HAFEN

Die Muskeltiere
Einer für alle, alle für einen

Ute Krause
Die Muskeltiere
Einer für alle, alle für einen

Ute Krause

Die Muskeltiere

Einer für alle, alle für einen

Mit Illustrationen von Ute Krause

Kinder- und Jugendbuchverlag
in der Verlagsgruppe Random House

Verlagsgruppe Random House FSC® N001967
Das für dieses Buch verwendete FSC®-zertifizierte Papier
Luxo Art Samt liefert Sappi, Ehingen.

5. Auflage
© 2014 für die Originalausgabe: cbj Kinder- und Jugendbuchverlag
in der Verlagsgruppe Random House, München
Alle Rechte vorbehalten
Umschlagillustration: Ute Krause
Umschlaggestaltung: Anette Beckmann, Berlin
Lektorat: Hjördis Fremgen
hf · Herstellung: UK
Satz und Innengestaltung: Anette Beckmann, Berlin
Repro: Lorenz & Zeller, Inning a.A.
Druck: Westermann Druck, Zwickau
ISBN 978-3-570-15903-3
Printed in Germany

www.cbj-verlag.de

Inhalt

Kapitel 1

Picandou

In einer dunklen, kalten Novembernacht keuchte Picandou schwer-
fällig die Kaimauer entlang. Sein runder Bauch war prall gefüllt
und wabbelte zwischen seinen Füßchen hin und her. Immer wieder
blieb der Mäuserich stehen und wischte sich die feuchte Stirn mit
einer Viertel Papierserviette ab, auf der in schnörkligen Buchstaben
Fröhlichs Fei stand. Zum Glück war es nicht mehr weit bis zur
Deichstraße. Zu dumm auch, dass er im Müllsack eingeschlafen
war!

Der Sack hatte so herrlich geduftet. Frau Fröhlich hatte nämlich am Abend zuvor lauter Köstlichkeiten darin entsorgt: Reste von Kartoffelsalat, zwei halbe gefüllte Oliven, Pastetenkrümel, ein halbes Sahnetörtchen und sogar ein angebissenes Marzipanküchlein. Selbst eine Maus mit mehr Willenskraft hätte da nicht widerstehen können.

Picandou wohnte seit vielen Jahren unter der Kellertreppe in Fröhlichs Feinkostgeschäft, allerdings wussten Herr und Frau Fröhlich nichts von ihrem Mitbewohner.

8

Ein schöneres Leben hätte man sich als Maus nicht wünschen können. Frau Fröhlich war eine großartige Köchin, und von den Leckereien, die sie mittags im Laden anbot, blieb immer etwas für Picandou übrig.

Herr Fröhlich wiederum war ein großer Käsefreund gewesen. Gewesen, muss man hier leider sagen, weil es Herrn Fröhlich seit Kurzem nicht mehr gab.

Picandou, der gerne heimlich gelauscht hatte, wenn Herr Fröhlich seinen Kunden die Käsesorten beschrieb, kannte inzwischen jeden Käse nicht nur nach Geschmack, sondern auch mit Namen. Sogar seinen eigenen Namen hatte er sich aus der Käsetheke zusammengestellt: Picandou Camembert Saint-Albray.

Fröhlichs Feinkostgeschäft hatte bis vor Kurzem die beste Käseauswahl in ganz Hamburg angeboten. Doch dann war das Traurige passiert. Herr Fröhlich kam plötzlich nicht mehr in den Laden und Frau Fröhlich weinte viel.

Und dann hörte Picandou, wie Margarethe zu Frau Fröhlich sagte, dass sie ganz sicher sei, dass Herr Fröhlich, auch wenn er jetzt im Himmel weilte, ganz bestimmt über sie wache.

Margarethe war die »gute Seele« im Laden. Allerdings war sie sehr abergläubisch. Sie erzählte Frau Fröhlich, dass sie morgens immer mit dem rechten Fuß aufstand, weil das Missgeschicke verhinderte. An jedem Freitag, den 13., blieb sie zu Hause. Und wenn eine schwarze Katze von links ihren Weg kreuzte oder sie ein Salzfass umstieß, rief sie gleich: »Oh, jetzt passiert ein Unglück!«

Früher hatte sie bei den Fröhlichs nur ausgeholfen, wenn es sehr viel zu tun gab, aber seit Herrn Fröhlichs Tod kam sie jeden

Tag in den Laden. Frau Fröhlich, die ein steifes Knie hatte, war ihr dafür sehr dankbar.

Margarethe war es auch, die an diesem Morgen das Problem auf Herrn Fröhlichs Schreibtisch im Keller entdeckt hatte. Picandou, der gerade in seiner gemütlichen Höhle unter der Treppe frühstückte, hätte sich fast an einer Käseecke verschluckt, als er den Schrei hörte. Frau Fröhlich kam gleich die Treppe heruntergehumpelt, und dann hörte Picandou, wie auch sie aufschrie, allerdings leiser und viel verzweifelter als Margarethe.

»Wie konnte er das nur tun?«, schluchzte sie. »Und ich habe nichts davon gemerkt. Ich dachte, er geht zu seinem Freund Erich zum Kartenspielen.«

Margarethe schnaubte leise und ging wieder nach oben. »Auf Pferde wetten. Typisch Männer!«

Dann war es still. Picandou hörte nur das Rascheln von Papier und wie sich jemand schnäuzte. Dann sagte Frau Fröhlich leise:

»Ach, lieber Heinrich ...«, so hieß Herr Fröhlich mit Vornamen, »nie werde ich diese Schulden wieder los. Ich werde unseren schönen Laden schließen müssen.«

Picandou erstarrte. Schließen? Das bedeutete, Frau Fröhlich würde nie wieder für ihn kochen, und die herrliche Käsetheke würde es bald nicht mehr geben! Sein Zuhause würde er wahrscheinlich auch noch verlieren.

Es war ein großes schwarzes Loch, das sich da vor ihm auftat. Reglos saß er noch eine ganze Weile am Eingang seiner Höhle. Erst als die beiden Frauen wieder nach oben gegangen waren, hatte er sich mit letzter Kraft ins Bett geschleppt und sich den ganzen Tag nicht mehr gerührt. Oben im Laden hörte er die schweren Schritte

10

von Margarethe und die leichten, humpelnden Schritte von Frau Fröhlich auf den Fliesen. Er hörte den Mixer und das Klappern von Töpfen und Geschirr. Ab und zu kamen die Frauen in den Keller, um Vorräte zu holen.

In letzter Zeit kamen sie immer zu zweit nach unten, denn Margarethe traute sich seit Herrn Fröhlichs Tod nicht mehr allein in den Keller. Picandou hatte gehört, wie sie zu Frau Fröhlich sagte, dass Herr Fröhlichs Geist im Keller spuke. Sie höre dort Geräusche und spüre, dass sich dort jemand aufhielt. Frau Fröhlich hatte

geschimpft, weil sie sicher war, dass Margarethe sich die Geräusche nur einbildete.

Margarethe hatte natürlich richtig gehört. Aber sie ahnte nicht, dass der rätselhafte Gast kein Geist, sondern eine dicke, graue Maus war. Nun standen die beiden Frauen dicht vor dem Höhleneingang und Margarethe sagte:

»Aber wir können doch nicht so teures Essen für den Mittagstisch machen. Da zahlen Sie mehr, als Sie verdienen.«

Frau Fröhlich antwortete: »Gerade jetzt, Margarethe! Gerade jetzt soll es unseren Kunden ein letztes Mal richtig gut gehen. Zurückgeben kann ich die Sachen sowieso nicht.«

»Sie sind ein gütiger Mensch«, antwortete Margarethe. »Aber vielleicht nicht die beste Geschäftsfrau.«

Picandou stimmte ihr im Geiste zu. Er wusste, dass viele von Frau Fröhlichs Kunden schon sehr alt waren und wenig Geld hatten. Frau Fröhlich steckte ihnen deswegen oft auch noch etwas in die Einkaufstasche oder gab ihnen beim Mittagstisch eine extragroße Portion.

Bald zog ein herrlicher Essensduft in den Keller, und obwohl Picandou gedacht hatte, er würde in seiner Verzweiflung keinen Bissen runterkriegen, sah es am Abend schon ganz anders aus. Sein Magen meldete sich mit lautem Knurren und schließlich kletterte er nach Ladenschluss durch den Geheimgang im Waschbecken nach draußen in den Hinterhof. Dort lehnte wie üblich der Müllsack an der Hauswand. Picandou schlüpfte hinein, und was er dort fand, ließ ihm das Wasser im Mund zusammenströmen. Niemand in ganz Hamburg konnte so gut kochen wie Frau Fröhlich!

Es war ein Zeichen des tiefen Respekts für Frau Fröhlichs Kochkunst, dass er auch das letzte Krümelchen verschlang. Nichts durfte auf dem Müllberg landen. Noch während er sich hingebungsvoll darum kümmerte, dass alles den Weg in seinen Magen fand, waren ihm irgendwann vor Erschöpfung die Augen zugefallen.

Zum Glück hatte ihn das Scheppern des Müllautos geweckt, als es über das Kopfsteinpflaster am Kai fuhr. Picandou hatte sich verschlafen einen Weg zwischen aufgeweichten Pappbechern und Gemüseresten gebahnt, hatte sich durch das Plastik der Tüte genagt und war dann vom Laster gesprungen, als der an einer Ecke das Tempo kurz drosselte. Picandous Fell war klebrig, und es würde bestimmt Tage dauern, bis er den Gestank des Müllautos wieder loswurde.

Ein kalter Nieselregen durchnässte ihn bis auf die Haut und ließ ihn frösteln.

In Bewegung bleiben, ans Ziel denken, an zu Hause, dachte Picandou, während er von dem Mäuerchen auf die Straße sprang.

Zwei Drittel der Strecke hatte er schon hinter sich. Jetzt war es nicht mehr weit. Er schnaufte. Bei seiner Leibesfülle bewegte er sich normalerweise nur, wenn es unbedingt sein musste. Zu spät sah er die Pfütze und platschte hinein.

»Katzenkleister«, schimpfte er leise und schüttelte das nasse Bein aus, während er weiterlief.

Die Pflastersteine glänzten im Schein der Laternen. Nebel dampfte über dem Kanal, und die alten Lagerhäuser lagen dunkel und verlassen auf der anderen Straßenseite. Hoffentlich würde er hier keiner Ratte begegnen. Sie lebten in den Lagerhäusern und hatten es manchmal auf Mäuse abgesehen. Jedenfalls dann, wenn sie sehr hungrig waren.

Ein Auto fuhr langsam die Straße entlang. Sein Scheinwerferlicht erhellte die Pflastersteine und zuckte kurz und geisterhaft durch die spärlichen Kronen der kleinen Bäume, die den Straßenrand säumten. Schnell sprang Picandou auf den Bürgersteig und trippelte in den schützenden Schatten eines Baumstammes.

Er war außer Atem und sein Herz klopfte schneller als sonst. Von seinem sicheren Versteck aus beobachtete er das Auto und den Lichtstrahl, den es vor sich hertrieb.

Plötzlich, in dem Bruchteil der Sekunde, in der das Scheinwerferlicht darauffiel, sah er das Häufchen Fell, das auf dem Bürgersteig nahe bei einem Laternenpfahl lag.

Ein Kollege?, dachte Picandou.

»Hallo?«, rief er leise.

Doch das Häufchen rührte sich nicht.

Kapitel 2

Ein Häufchen Elend

Das Auto war verschwunden, und vorsichtig näherte sich Picandou dem Tier, um es etwas näher zu betrachten. Das Fell war mit Matsch verschmiert und die Augen waren geschlossen. Entweder hatte es ein Auto, ein Reiher oder sogar eine Hafenratte erwischt.

Armer Teufel, dachte Picandou. Wahrscheinlich tot.

Vorsichtig stupste er es mit dem Fuß in die Seite. Da öffnete das Häufchen seine Äuglein und starrte ihn an.

»Würden Sie mir freundlicherweise sagen, wo ich mich befinde?«, fragte es schwach. Seine kleinen schwarzen Augen waren matt.

»Wo Sie sich befinden?«, antwortete Picandou überrascht. »Ehm, Hafencity.«

»Oh.« Das Häufchen schloss wieder die Augen.

Was hatte der Arme nur?, dachte Picandou.

Unschlüssig betrachtete er das Fellbündel und überlegte gerade, ob er sich unauffällig davonstehlen könnte. Sein warmes, trockenes Zuhause wartete auf ihn – noch! Und er wollte sich bei dem Wetter keine Mandelentzündung holen.

Da öffnete das Häufchen Elend wieder die Augen.

Mit zarter Stimme piepste es: »In der Karibik?«

16

»Nö, Hamburg.«

»Verstehe. Und mit wem bitte habe ich das Vergnügen?«

Picandou betrachtete es überrascht. Hallo? Geht's noch? Mit wem bitte habe ich das Vergnügen?

»Der Herr Kollege redet ganz schön geschwollen«, sagte er.

Das Häufchen Elend hob den Kopf ein wenig an.

»Ich meine, wie heißen Sie?«

»Mäuserich Picandou Camembert Saint-Albray.«

Picandou sprach alles betont langsam aus.

»Drei Namen! Sie haben großes Glück.«

Das Häufchen starrte traurig vor sich hin.

»Das Beste ist«, antwortete Picandou, »ich kann mir immer aussuchen, wie ich gerade heißen möchte. Heute, zum Bespiel, nenne
ich mich Picandou.«

»Verstehe. Da haben Sie es aber sehr, sehr gut.«

Das Häufchen schloss die Augen.

»Und mit wem bitte habe ich das Vergnügen?«, fragte Picandou.

Das Häufchen schwieg so lange, dass Picandou schon fürchtete,
es wäre in Ohnmacht gefallen.

»Das würde ich auch gerne wissen«, murmelte es betrübt. »Ich
habe nicht mal einen einzigen Namen.«

»Nicht mal einen? Nicht mal einen ganz kurzen? Einen klitzekleinen? Jeder hat doch irgendeinen Namen!«

Dicke Tropfen begannen auf sie herabzuplatschen. Der Nieselregen verwandelte sich gerade in einen kräftigen Herbstregen.

Das Häufchen wiegte den Kopf hin und her.

»Nicht mal einen klitzekleinen. Leider.«

Picandou trat von einer Pfote auf die andere. Sein Fell war jetzt völlig durchweicht, und wenn sich das hier noch viel länger hinzog, lag er morgen mit einer saumäßigen Erkältung im Bett.

Sollte die Maus doch selbst schauen, wo sie blieb, dachte er.

Aber das ging ja dann wohl auch nicht. Seufzend sagte er:

»Verrat mir mal, wo du wohnst. Ich begleite dich nach Hause.«

»Ach, auch das ist leider unmöglich«, sagte der Fremde düster.

»Wieso?«

»Ich habe kein Zuhause.«

»Unsinn, jeder hat eine Art Zuhause.«

Der Fremde setzte sich langsam auf und stöhnte.

»Wenn es auf dieser Welt ein Zuhause für mich gibt, dann weiß ich jedenfalls nicht, wo es sich befindet.«

Er neigte den Kopf und schaute trübsinnig auf eine Pfütze, in die die Regentropfen platschten. Da sah Picandou die Beule.

»Na, das ist ja ein ganz schöner Oschi«, sagte er mitfühlend.

»Oschi?«

»Na, Brummer, eh, Beule: das da auf deinem Kopf.«

Picandou deutete auf die Beule.

Das Häufchen befühlte seinen Kopf. »Oh ja, Sie haben recht. Eine Beule! Jetzt, wo Sie's sagen, tut sie auch weh ...«

»Wie ist denn das passiert?«

Der Mäuserich wiegte wieder den Kopf. »Wenn ich das nur wüsste! Wenn ich das nur wüsste!«

»Ja, was weißt du denn überhaupt?«, rief Picandou.

Er fühlte schon die ersten Anzeichen von Halsschmerzen. Es war höchste Zeit, dass er nach Hause kam.

Der Mäuserich zuckte mit der Schwanzspitze und betrachtete sie bedrückt. Picandou überlegte. Vielleicht hatte der Arme bei einem Schlag auf den Kopf sein Gedächtnis verloren. Aber was sollte er tun? Picandou war eigentlich kein Held und auch kein Wohltäter, dazu war er viel zu bequem. Aber er konnte diese Maus, die weder einen Namen noch ein Zuhause hatte, unmöglich bei diesem Wetter den Ratten oder Möwen überlassen.

»Hör zu, Kumpel ...«, sagte er schließlich und rollte die Augen genervt nach oben. Die Maus sollte ruhig merken, dass er nicht begeistert war. »Meinetwegen kannst du mit zu mir kommen. In Gottes Namen. Aber nur für diese eine Nacht! Ich will schließlich nicht dafür verantwortlich sein, wenn du von einer dieser fiesen Hafenratten um die Ecke gebracht wirst. Aber danach bist du wieder auf dich gestellt, kapiert?«

Der Mäuserich nickte und Picandou half ihm vorsichtig auf die Pfoten. Als er sich aufrichtete, fiel etwas Licht von der Laterne auf ihn. Picandou ließ ihn erschrocken los und sprang hinter den Laternenpfahl. Der Mäuserich war ziemlich groß. Viel zu groß für eine Maus. Er war nämlich gar keine Maus. Er war eine Ratte!

Picandou drückte sich an den Pfahl. Ängstlich schaute er sich um. War er etwa in einen Hinterhalt der Hafenratten geraten?

Die Ratte verlor das Gleichgewicht und torkelte zu Boden. Sie begriff nicht, warum Picandou sie losgelassen hatte und sie jetzt so merkwürdig anstarrte.

»Was ist denn?«, fragte sie.

»Du hast mich angelogen!«, zischte Picandou. »Du bist ja eine Hafenratte!«

Die Ratte sah aus, als ob sie gleich in Tränen ausbrechen würde.

»Warum beleidigen Sie mich?«

»Ich beleidige dich?«

»Sie nennen mich eine Hafenratte.«

»Weil du eine bist!«

»Ich bin eine Maus und keine Ratte, eine Hafenratte schon gar nicht.«

Die Ratte schüttelte den Kopf. Tränen blitzten jetzt in ihren Äuglein.

»Aber ich bin zu erschöpft, um mit Ihnen zu streiten.«

Mit einem langen Seufzer ließ sie sich wieder auf das nasse Pflaster sinken.

Auch das noch, dachte Picandou. Er hasste es, wenn jemand heulte.

»Wenn Sie mich lieber loswerden wollen, bitte schön!«, schniefte die Ratte. »Aber nennen Sie mich deswegen nicht eine Hafenratte.«

Was war denn das jetzt? War die Ratte durch den Schlag auf den Kopf etwas verwirrt? Sie schien tatsächlich zu glauben, dass sie eine Maus war. Und sie wusste wirklich nicht, wo sie wohnte.

Der Regen wurde immer stärker.

»Also gut«, knurrte Picandou. »Dann komm mit. Aber wehe, du machst Ärger! Und wenn ich dich schon mitnehme, dann keine Tränen mehr. Und hör gefälligst mit diesem albernen Gesieze auf.«

»Wenn Sie dafür aufhören, mich eine Ratte zu nennen«, antwortete die Ratte.

Picandou schüttelte sich den Regen aus dem Fell.

»Abgemacht«, seufzte er. »Jetzt komm schon. Ich will endlich nach Hause.«

Kapitel 3

Die Höhle in der Deichstraße

Schweigend gingen sie über eine Backsteinbrücke und überquerten eine große Straße. Beide waren inzwischen völlig durchgefroren. Sie bogen in eine kleine Gasse ein. Alte Häuser lehnten aneinander, und in einigen Schaufenstern glitzerten Uhren und Schmuck. In anderen waren alte Sofas und Tafelsilber ausgestellt.

»Das ist eine nette Ecke, in der Sie – ich meine –, du wohnst«, sagte die Ratte. Ihr Blick blieb am Schaufenster eines Reisebüros hängen. Ein kleiner Schock durchfuhr ihren schmalen Körper. Dort stand ein großer Aufsteller mit dem Foto eines weißen Schiffes, das direkt auf sie zufuhr. Die Ratte blieb stehen und bemerkte nicht, dass Picandou weiterlief.

Das Schiff! Etwas war mit diesem Schiff. Ihr Mund war plötzlich ganz trocken. Picandou, der schon durch einen Türspalt verschwunden war, tauchte jetzt wieder auf.

»Wo steckst du denn?«, rief er ungeduldig. »Komm schon.«

Zögernd wandte sich die Ratte um und folgte ihm durch den Spalt.

Hinter der Tür lag eine Toreinfahrt, die in einen gepflasterten Innenhof führte. Zielsicher huschte Picandou auf zwei große Blumenkübel zu. Dazwischen lag ein rundes Sieb. Picandou stutzte.

Das Sieb lag schief über dem Abfluss, dabei hatte er es doch vorhin wieder ordentlich an seinen Platz gerutscht. Oder hatte er das in seiner Aufregung vergessen?

Vorsichtig schob er das Sieb beiseite und deutete auf das enge, schwarze Loch darunter.

»Da müssen wir durch«, flüsterte er der Ratte zu. »Du zuerst.«

Die Ratte zögerte.

»Komm schon!«, sagte Picandou ungeduldig.

Die Ratte zwängte sich in das enge Rohr. Picandou folgte und zog das Sieb über seinem Kopf wieder an die richtige Stelle. Dann rutschten und liefen sie einen engen, feuchten Tunnel entlang, der steil abwärtsführte.

»Lass mich vorgehen«, sagte Picandou, als sich das Rohr vor ihnen teilte. Er deutete auf das Rohr, das nach rechts abging.

Die Ratte zwängte sich in die Abzweigung und wartete, bis Picandou an ihr vorbeigeschlüpft war, dann folgte sie ihm.

»Jetzt müssen wir hier hoch!«, rief Picandou.

Durch eine Öffnung direkt über ihnen schimmerte etwas Licht. Ächzend hangelte er sich als erster hinauf. Er musste dabei den Bauch einziehen.

Ab morgen Diät, dachte er. Sonst kann ich diesen Ausgang vergessen.

Er stutzte – auch hier lag das Sieb nicht über dem Abfluss. Mit aller Kraft wand er sich hinauf ins Waschbecken.

Als er sich über den Rand des Abflusses hievte, sah er, dass das Sieb ganz beiseitegeschoben war. Misstrauisch schaute er sich um. Doch alles war so wie immer.

Im Halbdunkel hinter dem weißen Beckenrand erkannte er das niedrige Kellerbüro. Nicht weit vom Waschbecken stand Herr Fröhlichs Schreibtisch. An der Wand neben dem Waschbecken stapelten sich Kisten und Fässer mit Lebensmitteln. An der Wand gegenüber standen Regale, die vollgestellt waren mit

Herrn Fröhlichs Aktenordnern. Nichts rührte sich, außer seinem Atem, der noch immer etwas heftig ging. Hinter ihm schälte sich nun langsam auch die Ratte aus dem Ausguss und betrachtete angeekelt den grauen Schleim auf ihrem Fell.

Picandou schob das Sieb wieder über den Abfluss und legte warnend die Pfote auf sein Schnäuzchen.

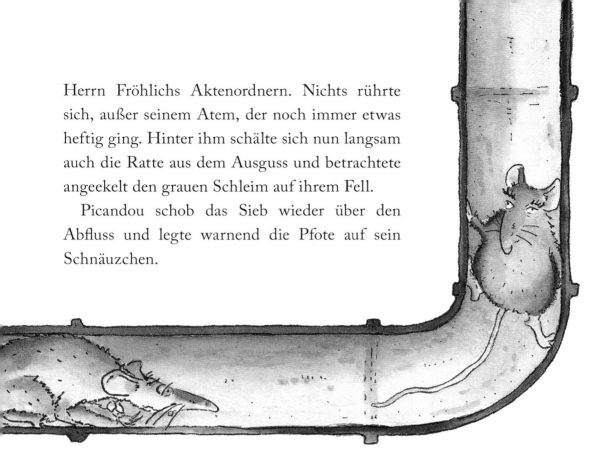

Zwar waren die Menschen um diese Zeit normalerweise nicht mehr im Laden, aber man konnte nie wissen. Irgendwer musste die Siebe verschoben haben. Ein, zwei Mal war Frau Fröhlich zu später Stunde ganz plötzlich erschienen. Da hatte sie nachts noch leere Servierplatten von einem Fest zurückgebracht.

Vorsichtig kletterten die beiden aus dem Becken, hüpften die Kisten und Kübel hinab und gingen auf eine schmale Treppe zu. Picandou lauschte, doch nichts rührte sich im Laden. Erleichtert stieß er die Luft zwischen den Zähnen aus. Sie waren allein.

»Mein bescheidenes Heim«, flüsterte er und stupste mit der Nase die Kellertür auf.

Kapitel 4

Ernie

Nein, so etwas gab es nur in Träumen! Ernie sah sich fassungslos um. So viele Käsesorten! Die Theke blitzte im matten Schein der Straßenlaterne, die vor dem Schaufenster stand. Und hinter dem Glas sah man die Käsestücke, die alle fein säuberlich nebeneinanderlagen. Ernie hob die Nase und sog genüsslich die unterschiedlichen Düfte ein: Es gab würzig und stinkender Stall, kuhmilch-cremig, kräftig und einen feinen Hauch alter Socken. Herrlich! Ernie schloss die Augen und lächelte. Er konnte sein Glück kaum fassen.

»Was'n dicken Jonny!«, murmelte er. »Was'n echten dicken Jonny!«

Er trat ein paar Schritte zurück, um die Käsereihe hinter der Vitrine genauer zu betrachten. Andächtig schweifte sein Blick über die gelben Tortenstücke, die cremig-weißen Kugeln und Käseräder, die durch die Glasböden zu erkennen waren. Er atmete tief ein.

»Alles meins«, flüsterte er. »Alles, alles meins.«

Leise klopfte der Regen an die Ladenscheiben. Vor der Tür rauschte der Regen in die Gullys, aber hier drinnen war es warm und trocken.

Wie verrückt das Leben doch war!

Noch vor wenigen Stunden hatte
Ernie dem Tod direkt ins Gesicht
geblickt. Nu is aus, hatte er gedacht,
als die Männer mit dem Giftgas
so plötzlich vor seinem
Schlafzimmer erschienen
waren.

Er hatte gerade ein Nickerchen gemacht und die Männer nicht bemerkt. Sie hatten die Holztäfelung in Klemkes Büro gelöst und Ernie, der dahinter zwischen Balken und Strohfitzelchen leise schnarchte, aus dem Schlaf gerissen.

Die Männer trugen Masken vor dem Gesicht und Metallkisten auf dem Rücken, aus denen das tödliche Gas strömte. Herr Klemke, der Besitzer der Hafenkneipe, hatte neben ihnen gestanden und gerufen: »Räuchert mir man die Bude ordentlich durch! Und macht bloß das olle Ungeziefer tot.«

Das Tageslicht hatte Ernie geblendet. Er spürte mehr, als dass er sah, wie die Männer ihre Gaspistolen auf ihn richteten. Nur mit letzter Kraft und in allerletzter Sekunde war es ihm gelungen, ihnen zu entkommen. Ein Zittern durchfuhr ihn, als er diesen schrecklichen Moment noch einmal durchlebte. Er spürte, wie die Giftwolke auf ihn zuschoss und immer näher kam, während er um sein Leben rannte. Die Wolke ließ alles um ihn herum verschwimmen, aber er rannte weiter, bis er die feuchte Nachtluft in der Nase spürte. Und auch dann hörte er nicht auf zu rennen, bis er vor dem Laden in der Deichstraße erschöpft zu Boden sank.

Dabei waren er und Klemke immer gut miteinander ausgekommen. Ernie hatte Klemke nie gestört. Im Gegenteil, er hatte ihm sogar geholfen. Ernie war fast nur in den frühen Morgenstunden unterwegs gewesen, wenn die Kneipe geschlossen war. Er hatte sich dann um die Salzstangenkrümel und Erdnusskerne gekümmert, die die Gäste auf Klemkes Fußboden hatten fallen lassen. Klemke hätte ihm eigentlich dankbar sein müssen, denn Ernie hatte ihm das gründliche Kehren erspart. Aber nein, stattdessen holte er diese mausgefährliche Mörderbande …

Weiter kam Ernie mit seinen Gedanken nicht, denn auf einmal hörte er etwas. Es war sehr leise und klang wie ein Rascheln. Es kam von der Tür neben der Käsetheke. War das nicht eine Stimme?

Rasch ging Ernie in Deckung, und dann sah er die fette, graue Maus und die schlaksige Ratte, die sein Paradies betraten. Hatten sie etwa auch den Geheimgang gefunden? Ernies Nackenhaare sträubten sich. Er wusste, diesen Ort würde er bis auf den letzten Tropfen seines Mäusebluts verteidigen. Sogar mit dieser heruntergekommenen Ratte würde er irgendwie fertigwerden.

»Stopp!«, rief er und sprang mit einem Knurren auf sie zu. »Und keinen Schritt weiter. Dieser Laden is meiner! Und zwar nur meiner!«

Er näselte etwas und hatte einen starken Hamburger Dialekt mit rollendem R.

Picandou und die Ratte erstarrten vor Schreck. Aber nur kurz, dann trat Picandou mit gebleckten Zähnen dem Fremden entgegen.

»Von wegen! Das hier ist mein Laden. Also mach, dass du wegkommst. Und zwar sofort!«

»Pass auf, Alter. Wer es mit Ernie aufnehmen will, muss früh aufstehen«, drohte Ernie und machte einen Schritt auf Picandou zu. Sie standen jetzt so nah, dass sich ihre Nasenspitzen fast berührten.

»Ach ja?!«

Dem würde er es zeigen! Picandou warf sich mit aller Wucht auf den Eindringling. Der trat einen kleinen Schritt beiseite. Picandou verlor das Gleichgewicht und landete unsanft auf der Nase. Ernie lachte und beugte sich zu ihm hinab.

»Mann, war das gerade gefährlich!«, sagte er.

Picandou wurde rot. Machte sich dieser Mistkäfer über ihn lustig?

Da bemerkte er den Zahnstocher, der unter der Käsetheke lag. Schnell griff er danach und pikste Ernie mit voller Wucht in den Bauch.

Dem würde er es zeigen. Dem würde das Lachen schon vergehen.

Doch der Zahnstocher knickte an Ernies hagerer Gestalt ab und brach entzwei. Ernie warf Picandou zu Boden.

»Na, willst du etwa eins auf dein süßes Näschen, du Döspaddel?«, fragte er streng.

Weiter kam er nicht. Die Ratte hatte Ernie blitzschnell am Hals gepackt. Überrascht ließ Ernie Picandou los. Picandou knallte mit der Stirn gegen die Theke und verlor für einen Moment das Bewusstsein.

Als er erwachte, beugten sich die Ratte und die fremde Maus über ihn. Die Ratte hatte Ernie immer noch so fest im Griff, dass er sich nicht bewegen konnte.

»Entschuldigen Sie sich bitte bei ihm«, sagte die Ratte zu Ernie.

Ernies Blick wanderte von der Ratte zu Picandou und wieder zur Ratte.

»Hmh«, knurrte er.

Die Ratte schüttelte ihn ein wenig. Ernie rollte die Augen und seufzte.

»Alles klar, Alter?«

»Das klang noch nicht wie eine richtig ehrlich gemeinte Entschuldigung«, sagte die Ratte sanft. »Wollen wir es noch mal probieren?«

Ernie biss die Zähne zusammen. »Sorry, Alter.«

»Tss, tss. Das war immer noch halbherzig. Aber wir wollen es gelten lassen, oder?«

Die Ratte schaute Picandou fragend an. Der nickte benommen, und die Ratte ließ Ernie los. Ernie plumpste zu Boden.

»Das hier ist mein Laden, und zwar schon seit vielen Jahren«, knurrte Picandou. »Deswegen bestimme ich, wer hier ein und aus geht, kapiert? Also, verzieh dich! Klaro?«

Ernie rieb sich den Nacken und warf der Ratte wieder einen vorsichtigen Blick zu.

»Bin ja schon weg. Konnte nich wissen, dass das dein Laden ist. Wenn du denkst, Ernie nimmt einer Maus ihr Revier, dann bist du falsch gewickelt. Ist doch Ehrensache unter Hafen- und Kneipenmäusen.« Er machte ein paar Schritte auf die Kellertür zu, warf einen letzten sehnsüchtigen Blick auf die Käsetheke und sagte: »Schade eigentlich. Jammerschade. Also denn, bis denn.«

Er hob kurz die Pfote zum Gruß und verschwand durch die Tür, die in den Keller führte.

»Uff, den wären wir los«, sagte Picandou und setzte sich erschöpft. »Ich sollte mich bei dir bedanken.«

»Ach was, nicht der Rede wert.« Die Ratte schaute zur Kellertür, durch die Ernie gerade verschwunden war, und dann hinaus in den Regen. »Eigentlich ist er schon ein Gentleman«, murmelte sie. »Dass er bei diesem Wetter, in das man nicht einmal seinen ärgsten Feind hinausschickt, ohne zu murren geht und sich sogar noch entschuldigt …«

Picandou rümpfte die Nasenspitze. »Machst du jetzt etwa einen Helden aus ihm?!«

»Nein, ich höre doch nur, wie es regnet und wie der Wind pfeift. Da sollte man eigentlich keinen hinausschicken, schon gar nicht eine andere Maus …«

»Is ja gut«, unterbrach Picandou sie genervt. »Ich hab's kapiert!«

Er trippelte missmutig zur Kellertür.

»Hallo da!«, rief er in die Dunkelheit.

Ernie, der schon beim Waschbecken angekommen war, schaute sich überrascht um.

Picandous Barthaare bebten. Er liebte seine Ruhe, und die Aufregung des heutigen Tages reichte für die nächsten Wochen – ach was, für die nächsten Monate. Sollte er sich wirklich noch einen weiteren Gast in die Bude holen? Andererseits – war einer mehr oder weniger nicht fast schon egal?

»Meinetwegen kannst du bis morgen früh bleiben …«, brummte er. »Aber nur bis morgen früh!«

Ernie legte den Kopf zur Seite und blinzelte.

»Is wahr, Alter?«

Picandou nickte. »Komm schon, bevor ich es mir noch einmal anders überlege.«

Kapitel 5

Der heimatlose Haufen

Ernie kletterte die Treppe wieder hinauf. »Na, da entschuldige ich mich man recht herzlich für meine unfreundliche Begrüßung vorhin«, sagte er und streckte Picandou die Pfote entgegen. »Schlag ein, Kumpel.«

Picandou winkte ab. »Lass stecken.« Er bemerkte, dass sein Magen wieder knurrte, was ihn daran erinnerte, dass er als Gastgeber gewisse Pflichten hatte. »Jetzt gibt's erst einmal eine kleine Stärkung«, sagte er, »und dann sehen wir weiter.«

Schon bald picknickten sie zu dritt auf einer Serviette, auf der *Fröhlichs Feinkost* stand. Picandou hatte eine Käseauswahl aus der Theke zusammengestellt. Er wusste genau, wo er wie viel Käse abzwacken konnte, ohne dass es von Frau Fröhlich oder Margarethe bemerkt wurde.

»Ein Stück Gruyère Réserve gefällig?«, fragte er die Ratte höflich.

»Ah, ein Experte!«, rief Ernie. »Sach ma, weißt du etwa den Namen von jedem Käse?«

»Na klar«, sagte Picandou. Auf diese Frage hatte er gehofft. »Dieser sehr cremige hier ist ein Camembert. Der Saint-Albray dagegen ist etwas fester und nicht ganz so mild. Hier noch ein Höhlenkäse – eher würzig – und dieser kleine, runde Ziegenkäse hier«, er deutete auf den Käsekrümel, den die Ratte in der Pfote hielt, »das wiederum ist ein Picandou, während der ...«

Weiter kam er nicht. Die Ratte sah ihn verblüfft an.

»Picandou Camembert Saint-Albray!? Jetzt weiß ich, wo du alle deine Namen herhast!«

Ernie prustete los und klopfte sich vergnügt auf die Mäuseschenkel. »Is ja nich zu fassn, Alter. Mann, du hast dich echt nach den Käsesorten benannt?«

Picandou wurde rot.

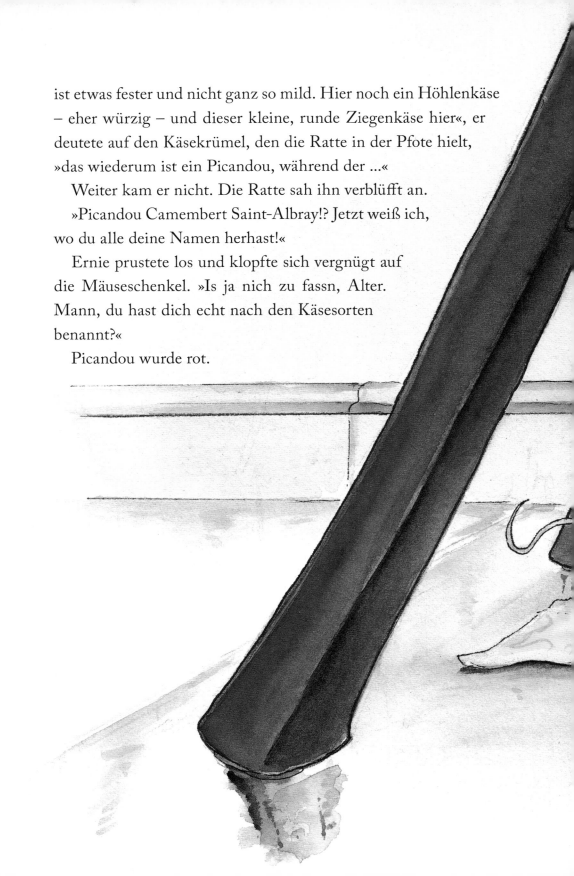

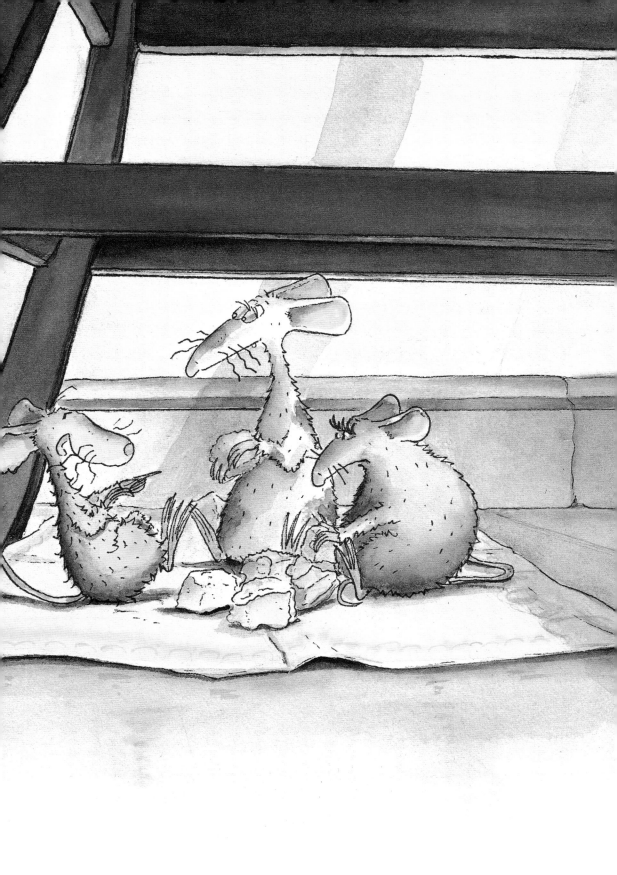

»Also, ich finde, das ist eine reizende Idee«, sagte die Ratte und betrachtete nachdenklich das Stückchen Käse in ihrer Pfote. »Ich selbst habe ja leider gar keinen Namen«, seufzte sie. »Darum weiß ich so einen klangvollen Namen wie Picandou sehr zu schätzen.«

»Wie? Echt nich? Ich meine, du hast echt kein'n Namen?«, fragte Ernie überrascht. »Das gibt's doch nich. Ich meine, jeder hat doch wenigstens einen Namen!«

»Nein.« Die Ratte sah aus, als würde sie gleich wieder losheulen. »Nicht jeder. Ich habe nicht mal einen winzig – schnief –, winzig kleinen ...«

»Eine Ratte ohne Namen, wat'n dicken Jonny.« Ernie betrachtete sie mitfühlend.

»Ich bin keine Ratte.«

»Aber klar doch bist du …!«

»Nein«, sagte Picandou schnell. Noch einen Tränenausbruch musste er unbedingt verhindern. »Nicht direkt. Er ist keine Ratte. Punkt. Er ist – sozusagen – eine Maus. Wie du und ich.« Picandou lächelte verzweifelt. »Wenn du ihn Ratte nennst, ist das eine Beleidigung. Verstanden?!«

Er warf Ernie einen warnenden Blick zu.

»Oha«, antwortete Ernie, der überhaupt nichts verstand. Waren die beiden nicht ganz bei Trost? Aber er wollte keinen Streit und er wollte vor allem nicht wieder vor die Tür gesetzt werden. Das war im Moment das Wichtigste.

»Is gut«, sagte er. »Wenn ihr meint, einverstanden. Jedenfalls braucht die Ra ... ich meine die Maus ... einen Namen. Und da oben sind ja bestimmt noch ein paar frei.« Er deutete auf die Käsetheke. »Oder hast du die alle schon für dich reserviert, Alter?«

Picandou schwieg beleidigt.

»Der hier, zum Beispiel.« Ernie deutete auf sein Käsestück. »Wie hieß der noch mal?«

»Gruyère Réserve«, sagte Picandou kühl.

»Genau. Gruyère Réserve. Wenn das man kein schmucker Name is! Nicht überkandidelt, aber doch elegant.« Ernie nickte der Ratte aufmunternd zu. »Steht dir perfekt!«

Die Ratte sah ihn schüchtern an. »Meinen Sie – meinst du wirklich?«

»Na und ob«, sagte Ernie und wandte sich an Picandou. »Stimmt's oder hab ich recht, Alter?

Picandou nickte. »Ja, ein sehr schmucker Name. Er ist noch frei und er steht dir.«

Die Ratte schloss die Augen. »Gruyère Réserve«, wiederholte sie ganz langsam. »Aber ist das nicht vielleicht ein bisschen lang?«

»Nö, überhaupt nich. Lange Namen sind gut, mien Jung. Die kurzen vergisst man doch viel zu schnell«, sagte Ernie.

»Ernie ist ziemlich kurz«, warf Picandou ein.

»Ja, Ernie is kurz«, antwortete Ernie. »Stimmt. Vielleicht sollte ich mir man auch einen neuen Namen aus deiner Käsevitrine zulegen.«

»Wie wäre es mit Stinkekäse?«

Ernie warf Picandou einen genervten Blick zu.

»Ich hab's!«, rief die Ratte. »Der perfekte Name für dich – Pomme de Terre.«

»Pomme de Terre?«, wiederholte Ernie. »Is das auch ein Käse?«

Die Ratte schnaubte leise. »Das weiß ich leider nicht.«

»Wo hast du denn den Namen her?«, fragte Picandou.

»Das weiß ich leider auch nicht«, sagte Gruyère und blickte auf den Boden. »Naja, vergiss es. War nur so eine Idee.«

»Nu zieh kein Flunsch«, sagte Ernie.

Picandou, der sah, dass gleich wieder ein Tränenausbruch drohte, sagte schnell: »Das klingt aber doch sehr hübsch. Und das ist ja das Wichtigste bei einem Namen, stimmt's?« Er stieß Ernie in die Rippen und warf ihm wieder einen warnenden Blick zu.

»Tüüürlich«, antwortete Ernie, der auch bemerkt hatte, dass die Ratte gleich losheulen würde. »Der gefällt mir ... schon. Und deswegen heißt Ernie ab sofort Pomme de Terre.«

»Wirklich?« Die Ratte lächelte zum ersten Mal zaghaft. »Und übrigens, ich muss mich bei dir entschuldigen, weil ich dich vorhin etwas hart angepackt habe.«

»Für eine Maus bist du ziemlich stark«, sagte Ernie und grinste.

»Manchmal unterschätzt man einfach seine eigene Kraft«, antwortete die Ratte bescheiden.

Um das Thema zu wechseln, erhob Ernie sein Käsestück zum Toast. »Auf unsere neuen und nicht ganz neuen Namen – Pomme de Terre, Gruyère Réserve und Picandou!«

Es wurde ein überraschend netter Abend. Ernie erzählte aus seinem Leben neben Klemkes Büro in der *Dicken Seejungfrau* und davon, wie er sein Zuhause verloren hatte. Das erinnerte Picandou wieder daran, was ihm wahrscheinlich bald bevorstand.

»Nu, da sind wir ja man beede ohne Heimathafen, nich«, stellte Pomme de Terre fest.

»Nicht nur ihr beide«, sagte die Ratte, die bei den Geschichten schweigend zugehört hatte.

»Is nich mööglich?«, rief Pomme de Terre. »Kein Name und dann auch noch keinen Heimathafen?«

»Ihn hat es von uns allen am schlimmsten getroffen«, antwortete Picandou für Gruyère, der den Kopf gesenkt hielt. »Er hat gar nichts mehr – sogar sein Gedächtnis hat er verloren.«

»Kann man denn sein Gedächtnis verlieren?«, fragte Pomme de Terre überrascht.

»Das kann man schon«, sagte die Ratte. »Ich habe mein ganzes Leben vergessen. Ich weiß nicht, wer ich bin oder wo ich herkomme. Nicht mal an meine Eltern kann ich mich erinnern. Oder daran, ob ich Schwestern habe oder Brüder oder Tanten oder Onkel. Meine Erinnerung setzt erst da ein, als ich vorhin am Kai in der Pfütze lag und Picandou vorbeikam und mich gerettet hat.«

Gruyère verstummte und starrte in den Regen hinaus.

»Oh, das tut mir leid.« Mitleidig betrachtete Pomme de Terre die Ratte. Auch ohne Zuhause hatte er wenigstens noch die schönen und die nicht so schönen Erinnerungen an die *Dicke Seejungfrau*. Unbeholfen klopfte er Gruyère aufs Beinchen, um ihn zu trösten.

»Na, wir drei sind ja echt ein heimatloser Haufen, nich«, sagte er. Er sah Gruyère aufmunternd an. »Vielleicht bedeutet es, dass wir uns gegenseitig unter die Arme greifen sollten. Zum Beispiel, dass wir dir helfen, deine Familie wiederzufinden, nich, Jungchen?« Er zwinkerte der Ratte zu.

»Wirklich?! Aber wir wissen doch gar nicht, wo wir suchen müssen.«

»Wichtig ist, dass wir überhaupt mit der Sucherei anfangen«, erwiderte Pomme de Terre und lehnte sich zurück. »Der Rest ergibt sich dann man schon. Ich hätte heute früh auch nie geglaubt, dass ich diesen lütten Hafen hier finde. Aber man muss nur die Klüsen offen halten.«

»Die was?«, fragte Gruyère.

»Die Augen«, sagte Picandou.

»Oh«, rief Gruyère gerührt. »Ihr seid zwei wahrhaft edle Mäuse. Trotz reichlich eigener Sorgen denkt ihr an mich! Aber es müsste schon ein Wunder geschehen, damit wir eine Spur finden.«

Die Ratte kratzte sich an der Beule.

Picandou zögerte.

Dieses Großmaul Ernie brachte ihn wirklich in die Klemme.

Hatte er nicht genügend eigene Probleme? Was sollte er sich da noch fremde aufhalsen?

Gruyère, der zum Glück nichts von den Gedanken des Mäuserichs ahnte, lächelte ihm aufmunternd zu: »Und dann müssen wir dem lieben Picandou helfen, sein Zuhause zu retten.«

Wie soll das noch zu retten sein?, dachte Picandou düster.

Er schwieg und nickte freundlich.

Kapitel 6

Eine heiße Spur

Gegen Mittag schien die Sonne aus einem tiefblauen Himmel, was im Hamburger Herbst selten passiert. Sie stand so tief, dass ihre Strahlen es durch das winzige Kellerfenster schafften. Sie erreichten sogar die Kellertreppe und stahlen sich in die Mäusehöhle.

Davon wachte Picandou auf und nieste. Verschlafen sah er sich um. Es dauerte einen Moment, bis ihm klar wurde, dass er nicht wie üblich in seinem Bett lag, sondern in einer alten Sardinendose, die mit Watteresten ausgestopft war. Sie gehörte zu der eleganten Sitzecke mit einer Garnrolle als Tisch, die er sich in einer Ecke seiner Höhle eingerichtet hatte. In der Dose daneben lag eine braune Maus und schnarchte.

Jetzt erinnerte sich Picandou wieder an die Ereignisse der letzten Nacht. Er hatte zum ersten Mal in seinem Leben Fremde in seine Höhle zum Übernachten eingeladen. Sein Blick schweifte sehnsüchtig zu seinem Bett. Es war ein ausgedienter Schwamm, den Frau Fröhlich weggeworfen hatte, und sehr bequem. Darauf ausgestreckt lag eine weiße Ratte.

Richtig, er hatte ihr sein Bett zur Verfügung gestellt, weil sie für die Sardinendose zu groß war. Eine Ratte, die glaubte, eine Maus zu sein.

Bis zur Dämmerung hatten sie im Laden zusammengesessen, und weil der Regen noch immer gegen die Scheiben klopfte, hatte Picandou Ratte und Kneipenmaus zu sich nach unten eingeladen. Sie hatten seine Höhle bewundert und über die vielen Bilder an der Wand gestaunt, soweit man sie im Dämmerlicht erkennen konnte. Auf diese Bilder war Picandou ganz besonders stolz. Er hatte seit Langem die alten Briefumschläge mit den schönsten Briefmarken aus Herrn Fröhlichs Papierkorb gefischt und in einem Wasserschälchen eingeweicht. Irgendwann lösten sich die Briefmarken ab und schwammen auf der Wasseroberfläche. Dann hatte Picandou sie vorsichtig zu seiner Höhle getragen und an die Wand geklebt.

Picandou streckte sich und blinzelte in die Sonnenstrahlen, die schon kräftiger wurden. Auch die anderen beiden regten sich.

Auf einmal rief die Ratte aufgeregt: »Das – das kenne ich irgendwoher!«

»Was kennst du?«, fragte Picandou.

Gruyère saß aufrecht im Bett und deutete auf die gegenüberliegende Wand. Picandou trippelte hinüber und betrachtete die Briefmarke, die dort klebte.

»Diese Marke?«, fragte er überrascht.

Eigentlich gehörte sie nicht zu seinen schönsten Bildern. Sie war eher schlicht. Der Bug eines Passagierschiffes war darauf zu sehen. Picandou hatte sie vor allem wegen der Farben ausgesucht, die gut zu seinem Schwamm-Bett passten.

»Achtundfünfzig Cent, mit Stempel«, sagte er. »Ich glaube, es war sogar eine Sondermarke.«

»Was'n für 'ne Marke?«, brummte Pomme de Terre schläfrig.

»Aus meiner Sammlung«, sagte Picandou. »Eine Briefmarke. Gruyère hat sie wiedererkannt.«

Pomme de Terre setzte sich auf. Er war sofort hellwach.

»Ne Briefmarke? Echt? Oha! Da haben wir vielleicht schon die erste Spur!«

Er streckte die Pfoten von sich und drehte sie mal nach links, mal nach rechts, sodass seine Gelenke dabei knackten, dann schlenderte er zu ihnen hinüber. »Briefmarken gibt's jedenfalls auf'm Postamt. Vielleicht bist du ja 'ne Postratte.«

»Eine Postratte?«, rief Gruyère entrüstet. »Ich bin doch ...«

»Wieso nicht? Kein schlechtes Leben. Mein Vetter zweiten Grades ...«

»Du hast Ratte gesagt«, unterbrach Picandou.

»Ich habe Ratte gesagt?«

»Ja, du hast Ratte gesagt. Du hättest Postmaus sagen müssen«, erinnerte ihn Picandou.

»Ähm ja ... ich meinte ja auch Maus, Postmaus.« Zwinkernd blickte Pomme de Terre von Picandou zu der Ratte, die wieder mit den Tränen kämpfte.

»Also, wie ich gerade sagte, mein Vetter zweiten Grades, der dort lebte – übrigens auch eine Postmaus –, war ganz begeistert von seinem Postamt. Am besten war die Vorweihnachtszeit, nich, wenn die Omis und Tanten dicke Pakete mit Stollen und Keksen verschicken ...«

Er verstummte und schaute erwartungsvoll in die Runde.

»Das ist schön und gut«, sagte Gruyère höflich. »Aber es ist nicht die Briefmarke, an die ich mich erinnere, sondern das Schiff.«

»An das Schiff?«, rief Pomme de Terre. »Oha! Oha! Vielleicht bist du dann eher eine Schiffsra ...«

Gruyère zuckte zusammen.

»Ich meine: Schiffsmaus!«, korrigierte sich Pomme de Terre schnell.

»Vielleicht, vielleicht. Jedenfalls habe ich gestern im Schaufenster auch ein Bild von genau so einem Schiff gesehen, und da wurde mir plötzlich ganz schwummrig.«

Pomme de Terre trat dichter an die Briefmarke heran und betrachtete sie eingehend. »Oha. Oha!«, sagte er schließlich wieder.

»Was heißt hier ständig: oha, oha?«, fragte Picandou spitz.

»Da muss man einfach kombinieren, Jungchen. Auf so 'nem Dampfer schippern ja die Loide zum Vergnügen rum, nich? Und auf dem im Reisebüro auch. Das kann also kein Zufall sein! Folglich bist du höchstwahrscheinlich eine Passagierschiffsra ... maus.« Er strahlte zufrieden in die Runde. »Ich hatte übrigens einen Cousin dritten Grades, der mal auf einem Passagierschiff gelebt hat und ...«

»Schön und gut«, unterbrach Picandou. »Es gibt aber Hunderte von Passagierschiffen. Wie sollen wir da das richtige finden?«

Gruyère schüttelte den Kopf und ließ ihn hängen. »Sag ich doch«, seufzte er.

»Es gibt vielleicht Hunderte von Passagierschiffen«, antwortete Pomme de Terre ungeduldig. »Aber nicht alle kommen gleichzeitig hier im Hamburger Hafen an. Das sind jeden Tag ganz wenige. Außerdem bleiben sie oft nur ein oder zwei Tage, bevor sie weiterfahren.« Pomme de Terre schaute Picandou an. »Wann, sagst du, hast du ihn aufgelesen, Alter?«

»Gestern Nacht. Direkt neben dem Kanal«, sagte Picandou.

»Dann ist es immerhin möglich, dass sein Kahn man noch im Hafen liecht!«, rief Pomme de Terre begeistert. »Denn man los!«

Gruyère strahlte die beiden an. »Oh, wie soll ich euch nur danken!«

Pomme de Terre trippelte schon zum Höhleneingang.

»Das kannst du machen, wenn wir da sind. Jetzt sollten wir keine Zeit verlieren!«, rief er über die Schulter. »Wenn wir den noch erwischen wollen, müssen wir uns sputen, Jungchens!«

Kapitel 7

Der Kampf im Kanal

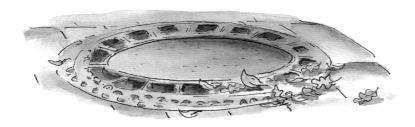

Pomme de Terre schlug den Weg durch den Gullyschacht vor, weil die Straßen am Tag voller Menschen und Autos waren. Picandou und Gruyère waren mit dem Plan einverstanden, auch wenn sie keine Ahnung hatten, wie es in einem Gully genau aussah. Gruyère wusste es nicht, weil er sich nicht daran erinnert hätte, und Picandou hatte zwar schon einen Gullydeckel von außen gesehen, aber noch nie einen Gully betreten.

Die Ratte und die Kneipenmaus waren Picandou durch das Abflussrohr in den Innenhof gefolgt und von dort durch die Toreinfahrt auf die Straße.

»Alles cool, Jungchens. Hab ich schon zig Mal bereist«, erklärte

Pomme de Terre, als sie endlich vor dem runden Gullydeckel in der Deichstraße standen.

Er schlüpfte durch eines der vielen Löcher, bevor Picandou ein paar Fragen über mögliche Gefahren loswerden konnte. Er versuchte, durch das Loch zu schauen, um die Lage einzuschätzen. Es war ziemlich dunkel da unten und sah wenig einladend aus.

Kurz darauf hörten sie jedoch Pomme de Terres Stimme. Sie klang hohl: »Hangelt euch vorsichtig von einem Griff zum anderen, die sind ganz schön glitschig. Und aufpassen! Es geht steil nach unten.«

Picandou lief ein Schauer über den Rücken. Noch war es nicht zu spät, wieder nach Hause zu gehen. Er musste nur den richtigen Moment abpassen. Sobald die zwei im Gully waren, würde er ihnen zurufen, dass er noch etwas Dringendes zu erledigen habe.

»Geh du ruhig vor«, sagte er höflich zur Ratte.

Gruyère kroch durch das Loch, und plötzlich fühlte Picandou einen Ruck an seinem Schwanz. Bevor er es sich versah, wurde auch er in die Tiefe gezogen.

»Hey, stopp! Lass los!«, rief er Gruyère zu.

Ohne dass Picandou es bemerkt hatte, hing seine Schwanzspitze durch ein Gullyloch, und Gruyère hielt sich daran fest.

»Tschuldigung!«, rief Gruyère und ließ seinen Schwanz los.

Doch da war es schon zu spät. Mit aller Kraft versuchte Picandou, sich noch an den kleinen Moosen festzuhalten, die auf der Innenseite des Deckels wuchsen. Die Moose lösten sich, und mit zwei Moosbüscheln in den Pfoten stürzte Picandou weit, weit hinab in die Tiefe. Sein Schrei hallte durch den Schacht, und er klatschte auf etwas, das sich sehr kalt und schlammig anfühlte.

Als er die Augen öffnete, war es, als ob er sie noch immer geschlossen hätte. Nicht einmal die eigene Pfote konnte er erkennen.

»Hilfe!«, rief er ängstlich, aber niemand antwortete.

Das Schlammige, in dem er saß, fühlte sich eklig an. Wahrscheinlich holte er sich in dieser Suppe gerade ein paar hübsche ansteckende Krankheiten. Er sprang auf und rutschte sofort wieder aus. Eine Pfote griff nach ihm.

»Pass auf, Alter. Der Boden is 'n büschen klackermatschig.«

Picandou zitterte. »Das ist eklig und unheimlich. Ich will sofort wieder …«

»Wo seid ihr?«, rief Gruyère hohl aus der Dunkelheit.

»Hier! Hier sind wir!«, antwortete Pomme de Terre.

Gruyère tastete sich zu ihnen hinüber, und als er sie erreicht hatte, sagte Pomme de Terre: »Am besten ist, wir halten uns aneinander fest.« Er stupste Picandou in die Seite und reichte ihm seine Schwanzspitze. »Und Gruyère, halt du dich an Picandou fest.«

Unwillig ergriff Picandou die Schwanzspitze.

»Ich will aber nach Hause«, sagte er kläglich.

Pomme de Terre tat so, als hätte er ihn nicht gehört. »Imma mir nach, Leute. Wir müssen hier lang.«

Niemand sah, wo er hinzeigte, aber sie hielten sich dicht hinter ihm und leise schimpfend watete Picandou zwischen den beiden durch die Dunkelheit und den Schlamm.

Nach vielen zähen Minuten sahen sie einen matten Lichtstrahl in der Ferne. Weit über ihnen lag ein Gullydeckel. Im Licht erkannten sie, dass der Tunnel sich verzweigte.

»Ich schätze, wir müssen da hoch«, sagte Picandou und deutete hinauf in den Schacht.

Plötzlich hörten sie ein dumpfes Kratzen und Trappeln. Es kam aus dem rechten Tunnel.

»Was ist das?«, flüsterte die Ratte ängstlich.

Pomme de Terre lauschte. »Autos«, sagte er schließlich und trippelte nach links.

Picandou folgte ihm zögernd. Das Wasser tropfte kalt und schleimig auf ihn herab. Oh, wie er sich dafür verfluchte, dass er so einfach mitgekommen war! Und alles nur wegen gestern Abend. Mit ihrer Freundlichkeit hatten sie ihn eingewickelt!

»Gruyère!«, rief er, als er die beiden nicht mehr sah. »Pomme de Terre! Wartet.«

Plötzlich sprang ihm etwas auf den Rücken, und scharfe Krallen bohrten sich in seinen Nacken.

»Rattila, ich hab ihn! Ein ziemlich fetter Fisch!«, rief eine dunkle Stimme.

»Hilfe!«, schrie Picandou und schlug erschrocken um sich.

»Hilfe? Hah! Dasss wird dir nichtsss nützen, Fettwanssst«, knurrte eine zweite Stimme neben seinem Ohr.

Harte Barthaare kratzten Picandou an der Nase. Mit ihrem Gewicht hatte eine Ratte Picandou zu Boden geworfen. Eine zweite Ratte biss ihn in den Hinterlauf. Und dann merkte er plötzlich, wie sie losließen.

Gruyère Réserve und Pomme de Terre hatten seinen Hilferuf gehört. Jetzt kamen sie auf ihn zugeschossen und warfen sich auf die angreifenden Ratten. Fellbüschel flogen durch die Luft, ein Kreischen und Zischen hallte durch den Gang. Plötzlich quiekte es schrill von allen Seiten, und ein Getrappel von vielen Füßen kam durch die Dunkelheit auf sie zu. Picandou drehte sich um und sah schemenhaft ein Heer von Ratten, das den Tunnel entlangstürmte.

»Noch mehr Hafenratten!«, keuchte er Pomme de Terre zu. Der biss einer Ratte gerade so fest in den Hintern, dass sie aufsprang und gegen die Wand knallte. Pomme de Terre packte Picandou am Fell, zog ihn hoch und rief: »Los, kommt schon!«

So schnell es ging, rannten und stolperten die drei den Tunnel entlang.

Die Hafenratten waren ihnen dicht auf den Fersen. Ihr Trappeln und ihre Rufe hallten unheimlich durch die tiefe Dunkelheit. Als Picandou schon dachte, seine Lungen würden gleich platzen, schimmerte endlich wieder ein Lichtstrahl in der Ferne. Mit letzter Kraft lief er darauf zu. Gruyère und Pomme de Terre sprangen als erste die Stufen hinauf. Picandou, der ganz außer Puste war, stolperte hinterher. Er war fast oben, als eine Ratte ihn mit den Zähnen am Schwanz packte und hinunterzog. Blitzschnell war Pomme de Terre an seiner Seite, biss die Ratte in die Nase und rief: »Lass ihn gefälligst los, du Krötengesicht!«

Die Ratte ließ Picandou mit einem Quietscher los und wollte sich mit gebleckten Zähnen auf Pomme de Terre werfen, doch Pomme de Terre versetzte ihr einen Stoß, und die Ratte stürzte die Stufen hinab in die Tiefe.

Schnell packten Pomme de Terre und Gruyère die dicke Maus an den Pfoten und zogen und schoben sie durch ein Loch des Gullydeckels.

Picandou atmete schwer, sein Herz klopfte in seinen Ohren, aber es blieb keine Zeit für ein Erholungspäuschen. Er hörte deutlich das Kratzen und Quietschen. Die Rattenmeute war schon auf den Stufen. Gleich würden sie oben sein.

Pomme de Terre sah sich um. Sie befanden sich auf einer stillen Pflastersteinstraße mitten in der Hafencity. Lange, elegante Häuserreihen aus viel Glas und dunklem, geschliffenem Stein säumten die Straße.

Aber nirgends gab es ein Versteck oder eine Ecke, hinter der sie

60

sich hätten verbergen können. Pomme de Terres Blick fiel auf eine Regenrinne.

»Da rein und dann hoch!«, rief er und sprang über die Straße auf das Haus zu. Diesmal folgte Picandou sofort. Hier ging es um das nackte Überleben. Jeder Protest wäre unnötige Energieverschwendung. Irgendwie würde er es trotz Bäuchlein schon die Rinne hinaufschaffen.

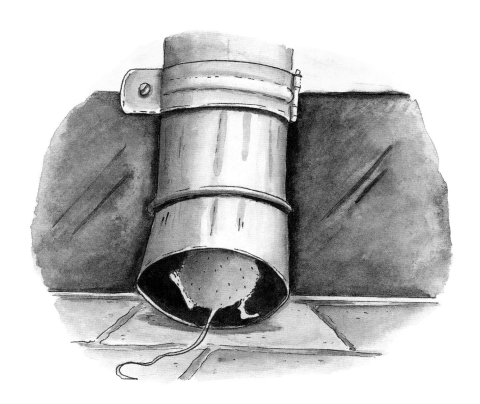

Kapitel 8

Bertram von Backenbart

Bertram von Backenbart rekelte sich in seinem goldenen Puderbad. Er wälzte sich kurz nach links und kurz nach rechts und betrachtete dann mit halb geschlossenen Augen, wie der Puder um ihn herum aufstob und im Sonnenlicht tanzte. Aus dem Radio kam leise »Killing me softly«, und im Hintergrund hörte Bertram den Staubsauger. Serafina, die Putzfrau, war dabei, die Wohnung sauber zu machen. Sie hatte die großen Glastüren aufgeschoben und Bertrams Käfig auf den breiten Balkon vor dem Kinderzimmer gestellt. Der Balkon lag im obersten Stock. Von hier aus hatte Bertram einen weiten Blick über die Elbe.

Das Leben ist gut, dachte er und betrachtete seine hübschen, ebenmäßig geformten Krallen. Das Sonnenlicht schimmerte hindurch und ließ sie in reinstem Weiß und Rosa erglühen.

»Sogar sehr gut.«

Er wusste, dass viele Goldhamster in winzigen Käfigen in Baumärkten, in Zoohandlungen oder bei Kindern lebten, die längst nicht so viel Platz hatten wie sein Herrchen, oder besser gesagt, sein Kind. Es trug den wohlklingenden Namen Tassilo.

Bertram konnte von Glück reden, dass Tassilo immer nur das Beste vom Besten geschenkt bekam. Auch Bertram von Backenbart entstammte der edelsten Goldhamster-Zucht. Sämtliche seiner Vorfahren waren preisgekrönt gewesen und hatten sich, wie seine Mutter erzählte, durch ihren Mut und ihre Stärke ausgezeichnet. Und weil Tassilos Eltern an nichts sparten, außer an Zeit für ihr Kind, kam Bertram gleich mit dem XL-de-luxe-Käfig samt elektrischem Laufrad mit verstellbarer Geschwindigkeit als Geschenk auf Tassilos schwer beladenen Geburtstagstisch.

Eine vierstöckige Hamstervilla mit goldener Puderwanne gehörte dazu, ein Minihäcksler, der die Salatblätter für Bertram in mundgroße Stücke schredderte, und eine Bar mit Wasser, das nach verschiedenen Gemüsesorten schmeckte. Bertram besaß das, wovon jeder Hamster träumte.

Dennoch lag ein Schatten über diesem luxuriösen Leben. Es war ein kleines bisschen eintönig. Um nicht zu sagen: Es war stinklangweilig. Das klang natürlich verwöhnt, wie Bertram sich eingestehen musste. Aber manchmal packte ihn eine so starke Sehnsucht nach etwas »mehr« in seinem Leben. Was das »mehr« genau sein könnte, wusste er selbst nicht genau, aber manchmal hatte er so ein leeres, ziehendes Gefühl im Bauch, und das lag nicht etwa am Hunger.

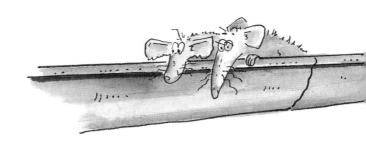

Das Einzige, was dann half, waren Tassilos Hör-CDs. Die machten Bertram glücklich. Er tat nichts lieber, als Geschichten von wagemutigen Abenteurern, gefährlichen Seereisen und Drachenkämpfern zu lauschen. Seine Lieblings-CD handelte von vier mutigen Freunden namens Athos, Porthos, Aramis und D'Artagnan, die sich mit ihren Degen duellierten und ihr Leben für die Ehre einer Königin aufs Spiel setzten. Am liebsten stellte Bertram sich vor, er wäre D'Artagnan, der Held dieser Geschichte, und würde mit drei Freunden aufregende Abenteuer erleben.

Bertram seufzte. Wenn Tassilo doch nur wieder eine CD auflegen würde. Aber in letzter Zeit sah er den Jungen nur noch selten. Tassilo, das war die bittere Wahrheit, hatte inzwischen jedes Interesse an Bertram und auch an seinen Hörbüchern verloren. Serafina war die Einzige, die daran dachte, den Käfig zu säubern und ihn ab und zu an die frische Luft zu stellen.

Schläfrig öffnete Bertram ein Auge. Sein Blick glitt über die glitzernde Weite der Elbe. In der Ferne lag der Hafen, wo gerade ein großes Containerschiff einlief. Plötzlich fing sein elektrisches Laufrad an zu summen. Bertram öffnete überrascht beide Augen und lugte über den Rand seiner goldenen Badewanne. In seinem Laufrad bewegte sich etwas. Das Rad drehte sich so schnell, dass es auf Stufe drei eingestellt sein musste.

Bertram griff seinen goldenen Plastikdegen, der neben der Wanne lag. Tassilos Mama hatte diese Degen früher für ihre Fruchtcocktails benutzt, um Maraschinokirschen und Ananasstückchen aufzuspießen. Als sie irgendwann aufhörte, Cocktails zu mixen, war Bertram eines Nachts aus dem Käfig geklettert und hatte vier dieser Degen erbeutet. So war er allzeit bereit, sollte Gefahr vor der Pforte stehen.

Und nun endlich passierte etwas in seinem Leben! Erwartungsvoll tänzelte er mit dem Degen in der Hand auf sein Rad zu.

»En garde!«, rief er.

Dann hörte Bertram das Wort: »Katzenkleister.« Es war ganz leise, aber deutlich. Und es kam nicht aus dem Laufrad, sondern aus der Regenrinne über dem Balkon. Bertram schaute hinauf. Serafina hatte nach der Reinigung die Käfigtür über dem Laufrad offengelassen.

Bevor Bertram sie schließen konnte, waren die zwei Angreifer aus der Regenrinne auf ihn herabgesprungen. Es waren eine dünne, weiße Ratte und eine braune Maus. Beide sahen ziemlich zerrupft und dreckig aus. Mit wem sollte er es zuerst aufnehmen? Mit seinem Degen wirbelte Bertram um sie herum und rasierte der braunen Maus damit fast die Barthaare ab.

»Jetzt hören Sie endlich mal mit dem Unsinn auf«, sagte die Ratte und biss ihm in die Pfote. Mit einem Quietscher ließ Bertram den Degen fallen.

»Wir tun dir doch nix. Wir wollen doch nur unseren Kumpel da wieder rausholen.«

Die braune Maus deutete aufs Laufrad, in dem eine ziemlich dicke graue Maus schwer atmend auf Stufe drei joggte.

Bertram legte einen Hebel um und das Rad blieb stehen. Die Maus sank erschöpft auf den Po.

Bertram warf ihr einen überraschten Blick zu und hob seinen Degen wieder auf.

»Es ist euer Glück, dass ihr es nur mit einem angehenden Muskeltier zu tun habt, meine Herren«, sagte er förmlich. »Sonst hätte jetzt euer letztes Stündlein geschlagen.«

Er deutete auf Picandou.

»Darf ich fragen, was Euch dazu bewog, mein Laufrad für Eure Gymnastik in Beschlag zu nehmen?«

»Ich – ich bin von der Dachrinne gefallen«, stöhnte Picandou, der noch immer schwer nach Luft rang. Er stand langsam auf. »Und ich habe jetzt endgültig die Nase voll! Ich stehe kurz vor einem Schwächeanfall – und ich will sofort nach Hause!«

»Hmh, ein Unfall also.« Bertram hob langsam eine Augenbraue und schaute der dicken Maus, die ein wenig hysterisch wirkte, tief in die Augen. Diesen Blick hatte er lange vor dem Spiegel geübt. »Und mit wem habe ich bitte schön die Ehre?«

Pomme de Terre ergriff schnell das Wort, denn Picandou sah aus, als würde er dem Hamster gleich an die Gurgel springen: »Nun, ich bin Ernie, ich meine, Pomme de Terre, und das sind meine Kumpels Picandou und Gruyère Réserve.«

»Picandou, Pomme de Terre und Gruyère Réserve ...” Bertrams hübsche kleine Knopfaugen funkelten.

»Meiner Treu!«, rief er. »Das klingt ja fast wie die Namen der drei Muskeltiere!«

Ein Lächeln breitete sich über seine Hamsterbacken aus.

»Muskeltiere?« Gruyère schaute an sich und an seinen zwei Kumpels herunter. Von vielen Muskeln konnte da wohl kaum die Rede sein.

68

»Danke, das ist sehr freundlich, aber Muskeltiere sind wir nun gerade nicht.«

»Noch nicht, aber ihr könntet es werden«, antwortete Bertram. Er lispelte leicht. Das lag an seinen großen Vorderzähnen. »Mit meiner Hilfe«, fügte er hinzu. Er verneigte sich, indem er ein Füßchen nach vorne schob und die Arme ausbreitete.

»Bertram von Backenbart. Sehr erfreut.«

»Tschuldigung«, sagte Pommes de Terre. »Aber für Muskelübungen haben wir jetzt partout keine Zeit. Wir müssen …«

»Aber wieso so eilig, meine Herren?«, fragte Bertram und zog wieder eine Augenbraue fragend hoch. Genau das tat nämlich ein Muskeltier auf dem Titelbild des Hörbuchs.

»Nun, wir müssen unserem Kumpel hier ...«, Pomme de Terre deutete auf Gruyère, »in einer wichtigen persönlichen Angelegenheit helfen.«

»Soso. Um was handelt es sich denn?«, fragte Bertram neugierig.

»Er hat sein Gedächtnis verloren und sucht seine Familie.«

Picandou, der inzwischen wieder etwas ruhiger atmete, wandte sich an seine Freunde. »Ich für meinen Teil möchte jetzt endlich nach Hause. Und zwar sofort.«

Bertram tat, als hätte er ihn nicht gehört. Er trat näher.

»Das klingt ja sehr geheimnisvoll. Gibt es denn schon Hinweise?«

»Na ja.« Pomme de Terre sah Gruyère Réserve an.

»Ein Bild auf einer Briefmarke«, flüsterte Gruyère Réserve. »Von einem Passagierschiff.«

»Ihr seid also eine Schiffsratte?«, wollte Bertram wissen.

»Schiffsmaus«, korrigierte Pomme de Terre.

»Maus?«, fragte Bertram leicht erstaunt.

Gruyère Réserve nickte. »Schiffsmaus. Aber mehr weiß ich auch nicht.«

»Das wird ja immer spannender!«, rief Bertram und betrachtete die Ratte neugierig. Hier lag offenbar ein Geheimnis verborgen. »Bitte, ich verlange eine Erklärung.«

»Das is alles nicht so ganz leicht zu erklären«, sagte Pomme de Terre und wandte sich zum Gehen. »Wir müssen erst einmal den Hafen finden.«

»Wartet!«, rief Bertram. »Nicht so schnell. Wie wäre es mit einem kleinen Imbiss, bevor ihr weiterzieht?«

Er deutete auf die Bar, drückte auf ein Knöpfchen, und der Automat spuckte ein paar frisch geschredderte Salatblätter aus.

»Und vielleicht auch was zu trinken für die Herren?«, fügte er hinzu. »Wasser mit Karottengeschmack, Salat, Rübe oder Apfel?«

Die drei zögerten. Sie hatten tatsächlich großen Durst nach diesem erschöpfenden Vormittag.

»Aber nur kurz«, sagte Picandou.

Sie schlürften das Wasser und kosteten die Salatblätter.

»Wenn ihr wollt, zeige ich den Herren noch meine bescheidene Hütte«, sagte Bertram. Er nahm Picandou an der Pfote und zog ihn durch die Tür. Er war sichtlich stolz auf seine Villa und die goldene Badewanne.

»Diese Wanne ist einer Muschel aus einem berühmten Gemälde nachempfunden. Es heißt *Die Geburt der Venus*«, lispelte er.

Picandou machte sich los. »Ich will jetzt gehen, und zwar nach Hause!«

»Also gut. Also gut!«, sagte Bertram mit gedehnter Stimme.

Da durchzuckte ihn die Erkenntnis wie ein Blitz. Endlich konnte er der Langeweile in seinem Leben Adieu sagen und echte Abenteuer erleben. Das Schicksal hatte diese drei in seinen Käfig fallen lassen. Das war das Zeichen, auf das er so lange gewartet hatte. Er musste die Muskeltiere auf ihrer gefährlichen Mission begleiten. Und er wusste auch schon, wie er sie dazu überreden könnte, ihn mitzunehmen.

»Dann gute Reise«, sagte er mit einer kleinen Verbeugung. »Und übrigens, wisst ihr denn überhaupt, wo der Passagierhafen liegt?«

»Na klar«, sagte Pomme de Terre. »Im Freihafen.«

Der Hamster schüttelte den Kopf und sah Gruyère mitleidig an.

»Eben nicht«, sagte er. »Dort kommen nur die Frachtschiffe an.«

»Und die Passagierschiffe?«, fragte Gruyère.

»Die fahren zu einem anderen Hafen«, antwortete der Hamster. Er lächelte geheimnisvoll und spielte mit seinem Degen. »Wenn ihr wollt, weist D'Artagnan Euch den Weg dorthin!«

»Wer soll das denn sein?«, fragte Pomme de Terre.

»Aber, mein Herr, noch nie was von D'Artagnan und den drei Muskeltieren gehört?«

Pomme de Terre schüttelte den Kopf.

»Eine tolle Geschichte – mein Lieblings-Hörbuch. Die drei Muskeltiere waren mutige Helden und unzertrennliche Freunde, die sich gegenseitig geholfen haben. So wie ihr.«

»Danke, ein anderes Mal«, sagte Picandou. »Wiedersehen.«

»Wartet!« Der Hamster stob in seine Villa.

Die drei sahen sich fragend an.

»Komm, wir hauen lieber ab, bevor der Knallkopp zurückkommt«, flüsterte Pomme de Terre.

»Aber was ist, wenn er wirklich den Weg zum Passagierhafen weiß?«, fragte Gruyère. »Wir waren ja wohl auf dem falschen Weg …«

Bertram erschien wieder in der Tür.

»Hier, fangt!«, rief er und warf jedem einen Degen zu. »Auf geht's, Kameraden.«

»Danke. Das ist sehr freundlich, aber wie gesagt nicht nötig …«, begann Picandou wieder.

Da legte Bertram plötzlich warnend eine Kralle auf die Lippen. Der Staubsauger hatte aufgehört zu brummen. Bertram wusste, was das bedeutete. Es blieben ihnen höchstens zwei Minuten, in denen die Teppiche zurechtgelegt wurden. Dann würde Serafina auch schon auf den Balkon kommen, um den Käfig wieder in Tassilos Zimmer zu stellen.

»Wir müssen sofort los«, flüsterte er aufgeregt.

Er nahm den Degen zwischen die Zähne und kletterte die Gitterstäbe zur oberen Käfigtür hinauf. Die drei Kameraden schauten ihm verwirrt nach. Sie begriffen nicht, was los war. Bertram nahm den Degen aus dem Mund und deutete auf die offene Balkontür.

»Gefahr im Verzug!«, zischte er. »Serafina ist gleich da. Wir dürfen keine Zeit verlieren! Sonst seid auch ihr Gefangene in diesem Käfig.«

Bertram kletterte schon durch die Luke. Das wirkte. Er meinte es offenbar ernst. Rasch zogen die anderen sich an den Gitterstäben bis zur offenen Käfigtür hinauf. Vom Käfigdach sprangen sie auf ein Rankgitter, an dem eine Kletterpflanze bis zum Dach emporwuchs. Nacheinander kletterten sie daran hoch zur Dachrinne. Bertram stellte sich dabei so ungeschickt an,

dass er schließlich Gruyères Schwanz packen musste und von den anderen auf die Rinne gehievt wurde.

Sie waren keine Sekunde zu früh, denn kurz darauf erschien Serafina in der Balkontür. Als sie sah, dass Bertram verschwunden war, stieß sie einen kleinen Schrei aus. Reglos warteten die vier Muskeltiere in der Dachrinne, während Serafina den Balkon absuchte.

»Die Arme«, seufzte Bertram, als sie wieder in der Wohnung verschwunden war. »Das hätte ich ihr gerne erspart. Aber ich weiß, sie wird darüber hinwegkommen. Und Tassilo und seinen Eltern ist es eh egal, ob ich da bin oder nicht.« Eine kleine Spur Bitterkeit schwang in Bertrams Stimme mit. Dann klatschte er in die Pfoten. »So, meine Muskeltiere, auf zum Passagierhafen!«

»Dann zeig uns den Weg«, sagte Gruyère.

Der Hamster bedeutete mit einem rosa Pfötchen, dass sie ihm folgen sollten, und marschierte voran.

»Und wann gehen wir nach Hause?«, rief Picandou ihnen nach.

Niemand hörte auf ihn. Unwirsch blickte er den dreien nach. Wie dieser Hamster sich ihnen aufdrängte, gefiel ihm überhaupt nicht. Er dachte an Frau Fröhlich, den Laden und an seine Höhle, und ihm wurde schwer ums Herz. Hoffentlich würde ihnen dieser Angeber nicht noch unnötigen Ärger bereiten.

Kapitel 9

Das Schiff
meiner Träume

Bertram war bester Dinge. Übermütig stolzierte er über das Dach zwischen den Mäusen und der Ratte hin und her und wedelte mit seinem Degen.

»En garde! Hier kommen die Muskeltiere und der angehende Muskeltier D'Artagnan!«

Picandou ging dieses Getue zunehmend auf die Nerven. Je ausgelassener sich Bertram benahm, desto schlechter wurde seine eigene Laune. Wenn er den Weg zum Laden gekannt hätte, wäre er sofort umgekehrt und nach Hause gegangen.

Sie hatten inzwischen auf ihrem Weg über die Dächer das Ende der Häuserreihe erreicht. Der Fluss glitzerte in der Ferne zwischen Gebäuden, die herumstanden wie Schuhkartons, die jemand nach der Anprobe unordentlich im Laden hatte liegen lassen. Dahinter, direkt am Fluss, erahnte man ein weites Feld, das von einem Zaun eingegrenzt war.

»Da ist unser Ziel«, sagte Bertram und deutete auf das Gelände. »Euer Glück liegt zum Greifen nah!«

Die Nager spähten sehr vorsichtig über den Rand des Daches. Die Straße sah von hier oben nicht größer aus als ein Käsestreifen.

»Hmh, geht ziemlich tief nach unten«, meinte Gruyère. »Schaffen wir das?«

Pomme de Terre sagte nur: »Wir sind hochgekommen, wir kommen auch wieder runter.«

Er ging auf die andere Dachseite, wo ein Regenrohr an den Balkonen entlang bis nach ganz unten lief. Er kletterte in die Regenrinne und spähte in das dunkle Loch des Rohrs, das in einen Hof führte.

»Das is zwar ’n büschen steil, aber wir sind schneller unten, als wir rauf sind.«

»Wie, da sollen wir runterrutschen? Vier Stockwerke?« Picandou wurde blass. »Da brechen wir uns doch alle Knochen.«

»Du stemmst dich mit den Pfoten an der Innenwand ab, wenn dir das zu schnell wird. Damit bremst du dich ordentlich ab. Hab ich schon zigmal gemacht.«

Pomme de Terre spuckte sich in die Pfoten, ließ sich ins Rohr gleiten und verschwand in der Dunkelheit. Besorgt schauten die anderen über den Rand der Rinne. Und dann war er wieder zu sehen. Ganz weit unten stand Pomme de Terre und rief: »Der Nächste bitte!«

Einer nach dem anderen rutschten und hangelten sich die Muskeltiere durch das Rohr. Bertram verlor den Halt und landete auf Gruyère und Pomme de Terre. Picandou, der nicht ganz schwindelfrei war, brauchte so lange, dass die anderen schon dachten, er wäre im Rohr stecken geblieben. Nach zehn zittrigen Minuten hatten sie endlich wieder hartes Pflaster unter den Pfoten.

»Und?«, fragte Pomme de Terre und sah sich zweifelnd um. »Wo ist jetzt dieser Hafen?«

Bertram deutete in Richtung Fluss. Die Lager- und Bürohäuser waren von hier unten gesehen viel größer als von oben, und es dauerte länger als gedacht, bis sie sie hinter sich gelassen hatten. Ab und zu rumpelte ein Laster über das Kopfsteinpflaster.

Picandou war in ein mürrisches Schweigen verfallen, ihm taten die Füße weh. So viel hatte er sich in seinem ganzen Leben noch nicht bewegt. Der kühle Wind, der vom Fluss aufkam, wehte alte Zeitungsreste und Pappbecher durch die leeren Straßen und ließ die vier bei jedem unerwarteten Rascheln in Deckung gehen.

Endlich erreichten sie den Zaun aus hohem Maschendraht. Dahinter erstreckte sich ein endloser Parkplatz, auf dem zwei Autos standen. Am Ende des Parkplatzes lag ein niedriges, weißes Gebäude. Autos und Kleinbusse warteten vor der Eingangstür. Und hinter dem Gebäude ragte der Umriss des Schiffsschornsteins hervor. Er war von Rauch umhüllt, den der Wind nach unten drückte.

»Bitte schön, die Herren«, sagte Bertram feierlich. »Der Passagierhafen.«

»Hmpf«, machte Picandou. Ungern gönnte er dem Hamster, dass er recht behalten hatte. Andererseits war er froh, dass sie endlich am Ziel waren. Und nachdem sie Gruyère verabschiedet hätten, würde ihn Pomme de Terre hoffentlich sofort nach Hause begleiten.

»Jetzt müssen wir nur noch dein Schiff finden«, sagte er zu Gruyère.

»Das da is es ganz bestimmt nich. Das hat just erst festgemacht«, sagte Pomme de Terre und deutete auf die Menschen in Mantel und Schal, die in diesem Moment das Gebäude verließen. Männer in blauen Uniformen brachten Koffer zu den Autos und Kleinbussen und luden sie ein. »Du bist schließlich schon seit gestern hier, Jungchen!«

Doch Gruyère hörte nicht zu. Wie hypnotisiert starrte er auf das Schiff hinter dem Gebäude. Der Rauch hatte sich gelichtet, und man sah einen großen goldenen Kranich, der auf dem Schornstein prangte.

»Was is 'n?«, fragte Pomme de Terre.

»Das ist es!«, rief Gruyère und deutete auf den Schornstein. »Mein Schiff!« Seine Stimme zitterte vor Aufregung. »Ich erkenne es wieder. Das Schiff meiner Träume.«

Das Schiff meiner Träume?! Man musste ja nicht gleich übertreiben, dachte Picandou.

»Das ist nicht dein Schiff«, sagte er geduldig. »Es ist gerade erst angekommen und du bist mindestens seit gestern an Land. Schon vergessen?«

78

Pomme de Terre legte ihm beruhigend die Pfote auf die Schulter.

»Picandou hat recht. So kurz hintereinander legt so 'n Dampfer nich im gleichen Hafen an, mien Jung. Deswegen kann es nicht dein Schiff sein. Vielleicht sieht deins einfach 'n büschen ähnlich aus.«

Picandou nickte ihm dankbar zu. »Genau. Ich schlage vor, wir gehen jetzt erst einmal nach Hause und überlegen bei einem guten Stück Käse, wie wir am besten ...«

»Sie Hasenfuß!«, unterbrach ihn Bertram. »Hier heißt es handeln, und zwar sofort! Sonst ist das Schiff dieses Muskeltiers nur noch ein winziger Punkt am Horizont!«

Picandou errötete. Dieser Maulheld machte ihn noch wahnsinnig.

»Das ist aber nicht sein Schiff!«

»Doch! Es ist mein Schiff!«, unterbrach ihn Gruyère. »Ich weiß es genau.« Er schloss die Augen und wisperte: »Die lauen Sommernächte in der Karibik, wenn die Sonne scharlachrot am Horizont verschwindet und der Abendstern am Himmel funkelt. Die Lichterketten der Häfen, die Möwen, die wie weiße Schatten aus der Dunkelheit auftauchen und ins Licht der Buglampe fliegen ...«

»Klingt wie 'ne Werbung aus 'm Reisebüro«, sagte Pomme de Terre und sah Gruyère besorgt an.

Der Hamster mischte sich wieder ein.

»Ich will ja nicht unhöflich sein, aber wenn wir uns hier noch lange verplaudern, ist sein Bötchen weg«, sagte er und deutete auf den Rauch, der jetzt wieder aus dem Schornstein quoll.

»Aber das kann unmöglich das richtige …«, begann Picandou. Der Rest seiner Worte ging in einem lauten Tuten unter. Es kam vom Schiff.

»Schnell! Das bedeutet, dass sie gleich ablegen!«, rief Gruyère und zog Pomme de Terre mit sich.

»Wenn die Rat … ich meine, wenn die Maus so sicher ist«, seufzte Pomme de Terre, »dann ist es eben ihr Schiff.«

Auch Bertram folgte bereitwillig. Sie trippelten am Zaun entlang und fanden eine Stelle, wo der Maschendraht so weit auseinandergebogen war, dass sie sich nacheinander hindurchzwängen konnten.

»Wartet!«, rief Picandou, der als Letzter langsam hinterherkam. Waren jetzt alle verrückt geworden? »Das ist vielleicht gefährlich. Wir sollten schauen, ob wir da überhaupt sicher sind …«

Doch Gruyère und Pomme de Terre waren schon durch die Lücke geklettert und halfen gerade Bertram, der wegen seiner Größe zwischen den Drähten stecken geblieben war. Pomme de Terre und Gruyère zogen und zerrten an Bertrams flauschigen Ärmchen und Beinchen. Picandou zögerte erst, aber dann wollte er kein Spielverderber sein. Also stemmte er sich gegen Bertrams Po, um den Hamster auf die andere Seite zu quetschen. Sie waren so damit beschäftigt, dass keiner von ihnen bemerkte, was da auf der anderen Seite des Zauns auf sie zustürmte …

Gerade hatten sie Bertram durch die Lücke gehievt, als der dumpfe Aufschlag von schweren Tatzen auf dem Boden und ein leises Röcheln sie aufschreckten. Doch da war es schon zu spät. Das Untier, das auf sie zukam, war riesengroß und hatte dichtes, graubraunes Fell. Ein feuchter rosa Lappen hing zwischen den spitzen gelben Zähnen und zog Speichelfäden hinter sich her. Mit lautem Knurren sprang es auf sie zu.

»Achtung, Hund!«, rief Picandou.

Pomme de Terre und Gruyère witschten blitzschnell durch die Zaunlücke zurück auf die andere Seite. Bertram aber … Bertram blieb wieder im Zaunloch stecken. Als er merkte, dass er sich nicht durchzwängen konnte, zog er den Kopf aus dem Loch zurück und wandte sich dem Untier mit gezücktem Degen und angelegten Ohren zu. Wenn das sein Ende war, wollte er wenigstens in Würde sterben.

»En garde«, piepste er.

Der Hund öffnete sein riesiges Maul, sein heißer, stinkender Atem war feucht und nahm Bertram fast die Luft. Die Eckzähne waren so lang wie Hamsterbeine. Sie waren jetzt ganz nah und dann schlugen sie zu.

»Ein Muskeltier stirbt nicht ohne einen gerechten Ka… Ka… Kampf«, fiepste Bertram kläglich und verstummte.

Die drei Muskeltiere auf der anderen Seite des Zaunes sahen hilflos zu, wie der Hund den Hamster packte. Unter ihrem Fell waren sie alle drei erbleicht. Pomme de Terre hatte die Pfoten um den Maschendraht gekrallt, und Picandous Knie zitterten so stark, dass er zusammengesackt wäre, hätte Gruyère ihn nicht gestützt. Auch wenn ihm der Kumpel

auf die Nerven ging, wünschte Picandou ihm doch ganz bestimmt nicht so ein schreckliches Ende. Er wollte nicht zusehen, wie dieses Monster dem Hamster gleich den Kopf zerbiss, und kniff die Augen fest zusammen.

Da gellte ein Schrei. »Nein! Komm zurück!«

Das war doch Gruyères Stimme?! Picandou riss die Augen wieder auf.

Er sah nicht gleich, was geschehen war. Doch dann hörte er:

»Fang mich doch, du betüterter Landhai! Denkst du, du kriegst mich? Nix da! Ein großes, murksiges Stinktier bist du! Ein War-zenköter!«

Picandou, der Gruyères Blick gefolgt war, sah die kleine braune Maus, die um den Hund herumhüpfte.

»Pomme de Terre! Oh nein, was tust du da?«, rief Picandou entsetzt. »Bist du verrückt geworden? Pomme de Terre! Ernie! Komm sofort zurück!«

Doch Pomme de Terre kam nicht zurück. Er tanzte immer weiter um das Tier herum und dann versenkte er seine scharfen Zähnchen in dessen Hinterbein. Der Hund jaulte kurz auf und öffnete dabei sein Maul. Bertram purzelte auf den Boden.

»Lauf!«, schrie Pomme de Terre dem Hamster zu. »Lauf!«

Die Hundespucke hatte Bertrams sonst so wuscheliges Fell gegelt. Jetzt sah er nicht mehr wie ein edler Goldhamster, sondern wie eine dicke Hafenratte aus.

Er zögerte, doch als Pomme de Terre ihm nochmals »Jetzt lauf schon!« hinterherschrie, rappelte er sich auf und torkelte zum Zaun.

Der Hund hatte inzwischen das Interesse am Hamster verloren. Er war Pomme de Terre dicht auf den Fersen. Der jagte über den Platz, schlug einen Haken und flitzte auf zwei parkende Autos zu. Der Hund schnappte immer wieder nach der Maus. Deutlich war das Klacken seiner Zähne zu hören, während er ihr zum blauen Auto folgte.

Bertram presste sich durch das Loch im Zaun. Die Gel-Spucke wirkte wie Schmieröl. Sein Herz hämmerte in seiner Brust.

»Oh, meiner Treu, Pomme de Terre riskiert sein Leben für mich«, hauchte er.

Die beiden anderen antworteten nicht. Sie sahen ihn nicht einmal an. Wie gelähmt standen sie da und hatten die Nasen, so weit es ging, durch den Zaun gesteckt. Gebannt starrten sie auf das blaue Auto.

Der Hund war halb unter den Wagen gekrochen, schnappte und knurrte und umkreiste ihn. Mal sahen sie seine Pfoten, mal seine Schnauze, die über den Boden glitt. Dann hörten sie einen leisen Quietscher.

»War das etwa Pomme de Terre?!«, flüsterte Gruyère.

Der Hund kam zwischen den Autos hervorgelaufen. Die Zunge hing ihm aus dem Maul. Er sah aus, als ob er lachte. War das etwa das Lachen eines erfolgreichen Jägers?

»Pomme de Terre«, flüsterte Picandou. »Hat er ihn etwa …?«

Der Hund drehte sich um und verschwand wieder zwischen den Autos.

»Vielleicht lebt er ja noch«, sagte Gruyère mit zittriger Stimme.

Sie spitzten die Ohren und lauschten, aber trotz ihres sehr feinen Gehörs nahmen sie nichts wahr – bis auf den Wind, der den Maschendrahtzaun leise klirren ließ.

Unmerklich hatte sich das Schiff in Bewegung gesetzt. Langsam glitt es am weißen Gebäude vorbei. Die Rauchwolken, die es ausstieß, wurden immer dichter und vermischten sich mit den Abendwolken, die rosa und violett am Himmel erglühten.

Kapitel 10

Der verlorene Freund

»Dein Schiff fährt davon«, murmelte Picandou.

Gruyère reagierte nicht. Alle Freude war aus ihm gewichen. Seine Ohren waren flach nach hinten gelegt und der Blick war auf das Auto geheftet.

»Armer Pomme de Terre«, sagte der Hamster und krallte die rosa Pfötchen noch fester um den Maschendraht.

Picandou schwieg. Was hätte er auch sagen sollen? Er hatte recht gehabt, als er die anderen zur Vorsicht ermahnt hatte. Wäre er doch nur seinem Gefühl gefolgt, anstatt sich von diesem Hamster anstacheln zu lassen.

Langsam wurde es dunkel. Das zweite Auto fuhr davon, und ein eisiger Nachtwind wehte jetzt vom Fluss herüber. Die Zeit kroch, doch nichts rührte sich unter dem Auto. Der Hund umkreiste es ab und zu, und verschwand dann hinter dem Wagen in der Dunkelheit. Trotzdem blieben die drei Freunde reglos am Zaun stehen und starrten auf das geparkte Auto. Plötzlich erklang ein scharfer Pfiff, und der Strahl einer starken Taschenlampe schweifte suchend über den Boden. Ein Mensch rief: »Hugo! Komm!«

Der Hund tauchte im Schein der Taschenlampe wieder hinter

dem Auto auf und lief auf sein Herrchen zu. Im Lichtstrahl sahen die Freunde, wie er ihn schwanzwedelnd begrüßte. Der Lichtkegel der Taschenlampe sprang über den Boden, wurde immer kleiner und verschwand schließlich im Wächterhäuschen neben der Toreinfahrt. Nebel kroch aus dem Fluss und legte seine kalten Finger um die drei Muskeltiere. Sie zitterten vor Kälte, aber spürten es kaum. Es herrschte wieder Stille.

»Ich … ich glaub, ich hab da was gehört«, sagte Gruyère nach einer langen Weile. »Vielleicht liegt er verletzt unter dem Auto. Wir sollten nachschauen.«

Er ging hinüber zur Zaunlücke, die anderen folgten ihm.

»Und was ist, wenn der Hund wiederkommt?«, fragte Bertram.

»Dann haben wir eben Pech gehabt und müssen rennen. Aber Pech bin ich ja gewöhnt«, sagte Gruyère.

Picandous Schnurrhaare zitterten, als er Gruyère durch das Loch folgte. So ganz allein wollte er ihn dann doch nicht auf diese Mission gehen lassen.

»Du bleibst lieber hier«, flüsterte er Bertram zu. Das Hamsterfell war inzwischen getrocknet und so wuschelig, dass er bestimmt wieder stecken blieb. Bertram widersprach nicht. »Ich pass auf, falls jemand kommt«, flüsterte er, doch die anderen huschten schon über den Parkplatz zum Auto.

»Pomme de Terre? Hörst du mich? Komm raus! Das Tier ist weg!«, rief Picandou, als sie fast am Wagen waren. Sie lauschten, aber niemand antwortete.

»Pomme de Terre? Wo bist du?«, rief Gruyère etwas lauter. Sie machten noch ein paar Schritte auf das Auto zu und spitzten wieder die Ohren. Doch es rührte sich nichts.

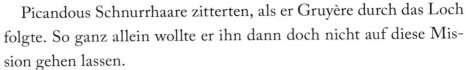

Plötzlich stieß Bertram einen warnenden Schrei aus. »Passt auf. Der Hund!«

Das riesige Tier tauchte plötzlich aus den Schatten auf. Seine Zähne und das Weiß seiner Augen leuchteten im Dunkeln. Wieso war er nicht in der Hütte bei seinem Herrchen?!

Die beiden Mäuse rannten, so schnell sie konnten. Nur knapp erreichten sie den Zaun, denn der Hund hatte ihre Fährte aufgenommen und stob mit lautem Gebell auf sie zu. Gruyère zwängte sich als Erster durchs Loch, Picandou warf sich hinterher, und der Hund knallte mit seinem ganzen Gewicht gegen den Zaun, sodass es nur so schepperte.

»Der Zaun bricht!«, rief Bertram. »Lauft!«

Die drei Muskeltiere rappelten sich auf und rannten auf die Lagerhäuser zu, so schnell ihre Beinchen sie trugen. Sie stolperten über Steine und platschten in Pfützen. Schließlich japste Picandou erschöpft: »Ich kann nicht mehr!«

Mit letzter Kraft schleppten sie sich in den Schutz eines Hauseingangs. Immer noch nach Luft ringend, lehnten sie erschöpft an einer kalten Backsteinmauer.

»Wo ist er?«, fragte Bertram atemlos.

Picandou warf einen Blick in die Richtung, aus der sie gekommen waren.

»Er ist uns nicht gefolgt«, sagte er. »Vielleicht ist der Zaun doch nicht kaputtgegangen.«

Die Straßenlaternen warfen einen matten Schein auf das Kopfsteinpflaster. Der Wind trieb Zeitungsfetzen die Straße entlang.

»Ein Glück. Fast hätte er auch uns noch gefressen!«, sagte Bertram.

»Wie kannst du nur so reden?«, rief Picandou. Hatte dieser Hamster überhaupt kein Feingefühl? »Du denkst nur an dich, und dass du davongekommen bist. Der arme Pomme de Terre hat sein Leben für dich geopfert, aber das ist dir wohl egal.«

»Da schätzt Ihr mich falsch ein!«, rief der Hamster.

»Außerdem«, fuhr Picandou grimmig fort, »hättest du dich nicht aufgedrängt und darauf bestanden, uns zu diesem Hafen zu führen, dann wäre das alles nie passiert. Dann säßen wir jetzt gemütlich in meinem Laden und ...«

»Es ist nicht seine Schuld«, unterbrach Gruyère. »Sondern meine. Ohne mich hättet ihr ja am Hafen gar nichts zu suchen gehabt.«

»Nein, nein«, sagte Bertram leise. »Picandou hat recht. Pomme de Terre hat, wie ein wahrer Edelmann, sein Leben für das meine aufs Spiel gesetzt.«

Er senkte den Kopf und alle schwiegen bedrückt. In der Ferne schlug eine Kirchturmuhr. Der Wind wurde immer eisiger. Die drei zitterten inzwischen so, dass ihre Zähnchen leise klapperten. Sie hatten kein Gefühl mehr in den Pfoten, und Gruyères rosa Nase war blau angelaufen.

»Armer Pomme de Terre«, sagte Gruyère schließlich. »Ich werde ihn sehr vermissen.«

»Ich auch«, sagte Picandou. »Aber es hat wirklich keinen Sinn, dass wir zu Eiszapfen werden. Ich schlage vor, dass wir erst einmal zu mir gehen, uns aufwärmen und stärken. Dann sehen wir weiter. Einverstanden?«

Gruyère und Bertram hauchten ein zittriges, kaum hörbares »Ja« und versuchten vorsichtig, ihre Glieder zu bewegen.

Humpelnd und sehr langsam gingen sie auf die Wohnhäuser zu. Die Bewegung tat gut, und bald schmerzten ihre Pfoten nicht mehr so stark.

Erst jetzt, als er an sein Zuhause dachte, merkte Picandou, wie sehr sein Magen knurrte. Noch nie war er so lange ohne eine Mahlzeit gewesen.

»Meint ihr denn, wir finden den Weg zurück ohne Pomme de Terre?«, fragte Gruyère, als sie an eine Straßenkreuzung kamen.

»Klar«, antwortete Picandou und zeigte auf Bertram. »Er tut ja immer, als kenne er sich in Hamburg, wie in seiner Westentasche aus.«

»Ähm, ja – schon. Aber nicht im … im … Dunkeln«, antwortete Bertram kleinlaut. »Selbst ein Muskeltier kann nicht immer …«

»Ach, hör doch auf mit deinem Muskeltiergetue«, knurrte Picandou. »Das hier ist nicht eine von deinen Geschichten, sondern das richtige Leben, kapiert?!«

Wütend puffte Picandou Bertram in die Seite. Bertram legte die Ohren an.

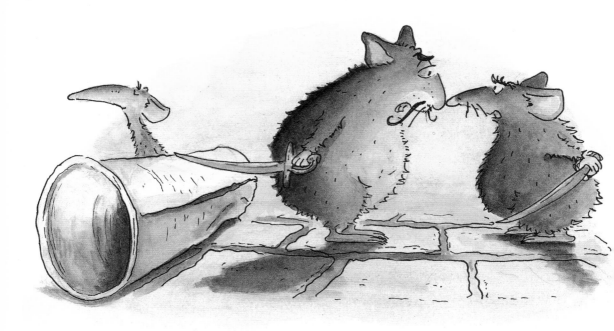

»Das ist kein Getue!«, rief er entrüstet. »Wie kannst du so etwas behaupten?«

Wie zwei Kämpfer standen sie einander gegenüber.

Gruyère hatte sich von ihnen abgewandt. Er saß mit geschlossenen Augen etwas abseits, hielt die Nase in den Wind und konzentrierte sich. Dann drehte er sich um, tippte den beiden auf die Schulter und sagte:

»Ich schlage vor, wir gehen jetzt nach Hause.«

Picandou lachte gereizt. »Gute Idee. Wenn wir nur den Weg wüssten.«

»Nach rechts. Und da vorne dann wieder nach links«, antwortete Gruyère.

Verdutzt sahen die beiden ihn an.

»Bist du sicher?«, fragte Picandou.

»Ich weiß nicht«, sagte Gruyère zaghaft. »Aber … irgendwie … glaube ich, dass es der Weg ist.«

Nach einigem Zögern folgten sie der Ratte. Mit der Sicherheit eines Schlafwandlers führte Gruyère die beiden mal nach links, mal nach rechts, mal quer über eine Seitenstraße, bis sie schließlich an den Kai gelangten, an dem Picandou ihn am Tag zuvor gefunden hatte.

Überrascht sah Picandou sich um. Dann klopfte er Gruyère anerkennend auf die Schulter.

»Toll! Du hast dir das größte Stück Käse aus meiner Theke verdient!«, rief er.

»Seid Ihr diesen Weg etwa schon einmal gegangen?«, fragte Bertram.

Gruyère überlegte und schüttelte dann den Kopf. »Nein. Nein, nicht dass ich wüsste«, sagte er. »Aber sicher bin ich natürlich nicht.«

»Du kannst dich jedenfalls sehr gut zurechtfinden, was eine sehr nützliche Begabung ist«, sagte Picandou.

Gruyère strahlte und straffte vor Stolz seinen Oberkörper.

»Kommt, gleich haben wir's geschafft!« Picandou trippelte an der Kaimauer entlang. Jetzt, wo sie fast da waren, sehnte er sich noch mehr nach seinem Zuhause. Die beiden anderen folgten. Keiner von ihnen hatte bemerkt, dass sie schon eine ganze Weile beobachtet wurden. Ein Schatten löste sich langsam aus der Dunkelheit und bewegte sich auf sie zu.

Kapitel 11

Eine böse Überraschung

Bertram entdeckte die Verfolger zuerst, doch da war es schon zu spät. Die Schatten entlang der Kaimauer waren lebendig. Hier wimmelte es von dunklen Gestalten, die die Muskeltiere zügig umzingelten.

»Essen, fressen, schlucken, nagen, voll der Magen!«, zischelten sie dabei.

Picandou erstarrte. Die Hafenratten! Auch Gruyère zuckte erschrocken zusammen.

»Na, ssso trifft man sssich wieder«, krächzte eine heisere Stimme.

Picandou erkannte sie sofort. Es war die Ratte, die ihn heute Morgen angegriffen hatte!

»Wir haben ja noch eine kleine Rechnung mit euch offen«, zischte sie und betrachtete die drei mit böse funkelnden Augen. »Die könnten wir heute Abend munter begleichen. Stimmt'sss, Freunde?«

Die Ratte wandte sich an ihre Meute. Es war ein ziemlich heruntergekommener Haufen.

»Jäh-jä-jäh!«, riefen sie und schoben sich noch dichter an die drei Muskeltiere heran. Die Ratte, die gesprochen hatte, nickte und lächelte – allerdings nicht besonders freundlich. Dann fiel ihr Blick auf Bertram.

»Zzziemlich schräge Tolle. Warssst du ssseit unssserem Zzzusammenstoß beim Frissseur?«, fragte sie mit einem Blick auf ihr kleines Heer. »Oder issst dasss eine Ganzzzkörper-Perücke?«

Wie auf Kommando kicherten die Ratten und riefen wieder: »Jäääjäääh!«

»Weder noch«, lispelte Bertram mutig. »Mein Fell ist von Natur aus etwas wuschelig, mit einer leichten Welle.«

»Er ist nicht der, für den du ihn hältst«, fügte Picandou hinzu. »Unser Freund Pomme …«

»Versssuch bloß nicht, ihn zu verteidigen«, sagte die Ratte kühl und kam noch näher auf Bertram zu. »Du und ich haben noch ein Spätzzzchen zzzu rupfen. Dafür.« Er zeigte auf eine kahle Stelle unter seiner Nase. »Meine Frau issst desssswegen zzziemlich sssauer auf dich. Rattussi, komm mal her.«

Eine Ratte mit einem Hängeohr, an dem ein Ohrring baumelte, trat aus der Menge auf Bertram zu. Picandou nahm all seinen Mut zusammen.

»Hört mal zu. Das hier ist der Falsche«, sagte er. »Der Kumpel, den du suchst, heißt Pomme de Terre. Oder hieß. Er ist nicht mehr unter uns. Ein Hund namens Hugo hat ihn erwischt und wahrscheinlich verschlungen ...« Picandou stockte.

»Wir waren sogar dabei«, schniefte Gruyère.

Rattussi betrachtete Bertram aus der Nähe.

»Schatzzz, esss ssstimmt. Dasss hier issst der Falsche!«, rief sie ihrem Mann zu, dann wandte sie sich an die Muskeltiere: »Etwa der Hugo, der den Parkplatzzz bewacht, wo die Passsagierschiffe ablegen?«

Gruyère nickte. Picandou kämpfte mit den Tränen.

»Ein ganzzz, ganzzz fiessser Finger«, zischelte Rattussi mitleidig. »Dasss tut mir echt leid, Leute.« Sie ging hinüber zu ihrem Mann und flüsterte ihm etwas ins Ohr. Er machte »Aha« und »Meinssst du?« und schließlich »naaaa gut, wenn du dir man wirklich sssicher bissst«. Dann schaute er Gruyère an.

»He, Ratte«, knurrte er. »Meine Frau meint, dasss wir unter den Umsssständen auf eine Keilerei verzzzichten sssollten. Ich meine, wegen des Trauerfalls in eurem Freundeskreisss.«

Gruyère wich etwas zurück. »Wieso hat er mich Ratte genannt?«

Picandou flüsterte ihm zu: »Nur ein kleiner Versprecher.« Dann wandte er sich wieder an Rattila: »Danke«, sagte er. »Herzlichsten Dank. Das ist sehr rücksichtsvoll von euch.«

Jetzt stieß Gruyère auch einen kleinen Seufzer der Erleichterung aus.

»Wir wollten gerade eine Kleinigkeit zu uns nehmen. Vielleicht möchtet ihr ja mitessen?«

Wie bitte?! Picandou traute seinen Ohren kaum. Wie konnte Gruyère nur? Wollte er diese Meute etwa in den Laden mitnehmen – in seinen Laden?! Das kam überhaupt nicht in die Tüte, das musste er sofort abbiegen.

»Genau!«, rief er dazwischen. »Mein Kumpel hat – ähm – recht. Wir laden euch noch auf 'nen Müllsack ein ... Im Freien. Ein Picknick sozusagen.«

»Picknick? Jääh! Jääh!«, riefen die Ratten gierig. »Essen, fressen, schlucken, nagen, voll der Magen!«

»Alle?«, fragte Rattila und deutete auf seine Mannschaft.

»Solange der Müllsack reicht«, antwortete Picandou.

»Dasss isss echt nett von euch. Da ssssagen wir nich Nein. Reichlich Kohldampf ham wir alle, ssstimmt's Leute?«

»Jääh, jääh«, grölten die Ratten wieder.

»Und mach dir man keine Ssssorgen. Dasss reicht schon für unsss alle«, sagte Rattussi.

Plaudernd und schnatternd zog das kleine Rattenheer die Deichstraße hinauf. Picandou, Gruyère, Bertram, Rattila und Rattussi gingen voran.

Der Müllsack von Fröhlichs Feinkost stand wie immer neben der

Hauswand im Innenhof. Dass er den Laden unter keinen Umstän-
den erwähnen durfte, hatte Picandou Gruyère, als sie kurz unter vier
Augen waren, eingeschärft. Aber das wäre gar nicht nötig gewesen.

Die Ratten zerrten den Sack mitten in den Hof und bildeten einen Kreis um ihn. Sie stampften im Takt und grölten:

Reinbeißen, reinbeißen!
Sack zerreißen!
Kauen, kauen,
nagen, nagen,
voll der Magen!

Sack zerreißen, Sack zerreißen!
Kräftig in das Fressen beißen!
Beißen, beißen,
schmatzen, nagen,
voll der Magen!

Dann rissen und zerrten sie an dem Plastik, bis der Inhalt des Sacks auf die Pflastersteine quoll. Als sie rochen und sahen, was da alles vor ihnen lag, stießen sie sich gegenseitig in die Rippen und sangen noch lauter:

Eins, zwei, drei, Sack entzwei!
Alles fressen, alles fressen,
eilig in die Fresse pressen!

Dann stürzten sie sich auf die Köstlichkeiten. Picandou, Gruyère und Bertram standen erst schüchtern am Rand und schauten den schmatzenden, zufrieden knurrenden Ratten zu. Doch da rief Rattussi sie an ihre Seite. Sie und Rattila saßen etwas abseits, und einige Ratten servierten ihnen die besten Stückchen aus dem Müll-sack. Dabei sangen sie:

Essen fressen!
Essen fressen!
Rülpsen, furzen
nicht vergessen!

Picandou schüttelte sich innerlich, während er lustlos an einem Marzipankrümel nagte. Ihm war der Appetit vergangen. Was für ein ungehobeltes Pack! Von Tischmanieren hatten die noch nie etwas gehört, so viel war klar. Und wenn der Hof morgen so aussah wie jetzt, würde Frau Fröhlich nie wieder einen Müllsack rausstel-len!

Doch er hatte sich umsonst gesorgt. Es blieb kein Krümelchen übrig, und die Plastikreste des Müllsacks legten die Ratten fein säu-berlich wieder dorthin, wo sie ihn gefunden hatten.

Rattila erhob sich und brachte mit einer knappen Bewegung alle zum Schweigen: »Liebe Ratte, liebe Maus, liebesss Wussseltier ...«

»Hamster«, korrigierte Bertram mit einer kleinen Verbeugung. »Nur Hamster und angehender Muskeltier, aber das Letztere könnt Ihr auch streichen.«

»Aha ... Und lieber Hamssster ...«

»Und Maus ...«, korrigierte Gruyère.

Picandou hatte Rattila wieder angestupst.

»Aha, denn alssso Mausss«, sagte Rattila etwas verwirrt. »Alssso wie auch immer. Liebe Freunde, wir wisssen, dasss heute ein dunk-ler Tag für euch war. Ihr habt euren Kumpel verloren, und das tut unsss echt leid für euch. Auch wenn er meine Nase verunsssstaltet hat. Desssswegen, liebe Freunde, bitte ich euch alle um eine Minute desss Schweigensss, um desss Toten zzzu gedenken – desss mutigen und tapferen ...«

Wieder sah Rattila Bertram fragend an.

»Muskeltier Pomme de Terre, früher bekannt als Ernie die Hafenmaus«, sagte Bertram mit leicht zittriger Stimme.

»Genau, dem tapferen Mussskeltier Pomme de Terre, früher bekannt alsss Ernie die Hafenmausss.«

Sofort hörte das Gerülpse und Geputze auf, und Stille senkte sich über den Innenhof. Bertram legte Picandou zaghaft eine Kralle auf die Schulter. Gruyère schnäuzte sich und nahm Picandous andere Pfote. In der Ferne schlug die Kirchturmuhr.

Als der letzte Schlag verklungen war, sagte Picandou leise:

»Meine Freunde und ich danken dir für deine freundlichen Worte. Wir alle werden Pomme de Terre nie vergessen ...« Er verstummte.

Rattila hüstelte. »Aber ssehr gern geschehen. Und nur dasss ihr'sss wissst, ich habe euch verzzziehen, dasss ihr bei unsss eingedrungen ssseid. Dasss hier war ein unheimlich guter Müllsssack, dasss vergesssen wir euch nicht ssso schnell. Wir sssind jetzt Kumpelsss, und wenn wir mal wasss für euch tun können, wissst ihr ja, wo wir zzzu finden sssind.«

»Danke«, sagte Picandou wieder. Er war gerührt, obwohl er ziemlich sicher war, dass er diesen rauen Haufen nicht so schnell wiedersehen wollte.

Nachdem die Ratten sich mit viel Schulterklopfen und Anrempeln verabschiedet hatten und die drei Muskeltiere endlich allein waren, führte Picandou die beiden anderen hinüber zum Sieb neben den Blumentöpfen. Endlich war er zu Hause.

Es war ein echtes Problem, Bertram durch das Abwasserrohr zu befördern. Sein flauschig goldbraunes Fell war bald speckig und grau und klebte an seinem Körper, aber er beschwerte sich nicht. Picandou schob sich als Erster das enge Rohr zum Waschbecken hinauf.

Gerade wollte er das Sieb über dem Abfluss beiseiteschieben, als er das Licht im Kellerraum bemerkte und ein Rascheln hörte.

»Sind wir endlich da?«, tönte es aus dem Rohr. Das war Bertram.

»Schsch«, machte Picandou und flüsterte: »Wartet! Ganz still!«

So leise es ging, schob er das Sieb beiseite, kletterte aus dem Abfluss und lugte über den Rand des Waschbeckens. Er sah, dass die Schreibtischlampe brannte. In Nachthemd und Schal saß dort Frau Fröhlich und studierte die vielen Papiere, die unordentlich auf dem Tisch lagen.

Ihren Kopf hatte sie in die Hände gestützt, und leise murmelte sie: »Ich weiß einfach nicht mehr weiter, Heinrich. Bitte, lass mich nicht mit allem allein.«

Picandou schluckte. Es tat ihm im Herzen weh, die arme Frau Fröhlich so traurig zu sehen.

Da schob sich auch schon Gruyère aus dem Ausguss, gefolgt von Bertram, der sich ächzend durchquetschte. Picandou legte die Pfote ans Schnäuzchen, und so leise es ging, balancierten die drei über den Waschbeckenrand bis zur Wand. Dann folgten sie Picandou über die Kisten und Kübel, die dort gestapelt waren, auf den Boden. Bertram verlor das Gleichgewicht und rutschte das letzte Stück die Kisten hinunter. Dabei kippte eine leere Kiste um und stülpte sich über den Hamster. Frau Fröhlich drehte sich um und lauschte.

»Ist da wer?«, flüsterte sie.

Die Muskeltiere erstarrten und hielten die Luft an. Frau Fröhlich wandte sich wieder dem Schreibtisch zu.

Die drei warteten noch einen Moment, und als Frau Fröhlich sich wieder in ihre Arbeit vertieft hatte, hoben Gruyère und Picandou die leere Kiste an. Bertram krabbelte schnell hervor, und auf spitzen Krallen huschten sie hintereinander zur Höhle unter der Treppe und kletterten hinein.

Bertram bekam das Schwammbett, weil er am meisten Platz brauchte, Gruyère zwängte sich in die eine Konservendose, und Picandou legte sich in die andere. Er schloss die Augen und atmete die vertrauten Düfte ein.

Endlich zu Hause, dachte er.

Er spürte die Müdigkeit in jeder Faser seines Körpers, aber er konnte nicht einschlafen.

Das Papierrascheln hatte inzwischen aufgehört. Frau Fröhlich schnäuzte sich, dann scharrte der Schreibtischstuhl. Humpelnd ging sie die Treppe hinauf. Sie ging langsamer als sonst. Picandou war es, als spürte er in jedem ihrer Schritte tiefe Verzweiflung.

Wie gerne hätte er ihr geholfen! Der gestrige Tag war schon schlimm genug gewesen, aber heute war es noch viel schlimmer. Gestern hatte er immerhin zwei neue Freunde gewonnen und dann den einen auf so schreckliche Art verloren. Dabei hatte er die anderen doch zur Vorsicht ermahnt! Aber niemand hatte auf ihn gehört.

Armer Pomme de Terre, dachte Picandou. Arme Frau Fröhlich.

In der Ferne fiel die Ladentür ins Schloss und dann war auch er vor Erschöpfung eingeschlafen.

Kapitel 12

Nächtlicher Besuch

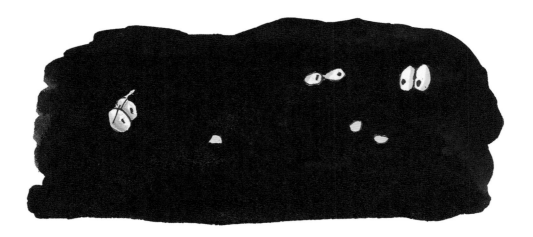

Etwas zupfte Picandou am Ohr. Er schlug sofort die Augen auf. Es war noch so dunkel, dass man die eigene Pfote nicht vor Augen sehen konnte. Der Mäuserich setzte sich auf und stieß dabei mit dem Kopf gegen jemanden, der sich über ihn beugte.

»Autsch«, sagte der Jemand.

»Gruyère?«, fragte Picandou.

»Das war mein Kinn«, knurrte der andere neben seinem Ohr.

Die Stimme kam Picandou sehr bekannt vor. Er sprang auf und tastete nach dem Störenfried.

»Du? Du bist es wirklich?«, stotterte er. »Oder bist du ein Geist?«

»Natürlich ein Geist«, sagte die Stimme, und dann klopfte der Geist Picandou auf die Schulter. »Alter, ich hab 'nen ordentlichen Kohldampf. Wo is Gruyère? Und habt ihr diesen Hamster wieder in seinem goldenen Käfig geparkt?«

»Die schlafen beide hier«, antwortete Picandou.

»Nicht mehr!«, rief Gruyère aus der Dunkelheit. »Habe ich etwa richtig gehört? Das ... das ist ja ... das ist ja einfach unglaublich!«

Er tastete sich zu ihnen hinüber. »Du – du lebst! Er hat dich nicht erwischt!« Seine Stimme überschlug sich fast.

»Warum so ein Lärm mitten in der Nacht?«, tönte es schläfrig vom Schwammbett.

»Pomme de Terre ist wieder da!«, rief Picandou. »Und er hat furchtbaren Hunger. Lass uns in den Laden hochgehen.«

»Wie?!« Auch Bertram war sofort hellwach. »Was sagtet Ihr?« Er sprang auf sie zu, stieß dabei die Sardinendosen um und überrannte in seiner Aufregung Pomme de Terre, sodass die beiden über den Boden rollten.

»Hey, Digger, aufhören! Ich bin kitzelig!«, rief Pomme de Terre, denn Bertram betätschelte ihn überall und rief immer wieder: »Bei meiner Treu, träum ich oder seid Ihr es wirklich!«

»Du träumst nicht, und das Knurren, das du gerade hörst, ist kein Tiger, sondern mein Magen!« Gutmütig schob Pomme de Terre Bertrams Pfoten beiseite und stand auf. »Jetzt nimm man die Flunken weg. Ich brauch ganz dringend was zwischen die Kiemen, und zwar fix.«

Das Licht der Straßenlaterne erhellte den Laden. Picandou kletterte zur Vitrine hinauf und stellte eine üppige Käseauswahl für seinen Freund zusammen. Er sah, wie Gruyère und Bertram der braunen Maus auf die Schultern klopften, als könnten sie es noch immer nicht fassen, dass er wirklich wieder da war. Picandou lächelte, während er die Käsestückchen seinen Kumpels zuwarf. Wann war er das letzte Mal so glücklich gewesen?

»Heiliger Degen, nicht zu fassen! Einfach nicht zu fassen!«, wiederholte Bertram gerade zum fünfzehnten Mal. »Wie habt Ihr das nur geschafft?«

»Und was ist das für ein Streifen auf deinem Bauch?«, fragte Gruyère. Im Laternenlicht sah man deutlich einen breiten, dunklen Strich, der diagonal über den Bauch der Maus verlief.

»Nun, das können wir später bekakeln«, antwortete Pomme de Terre. Seine Augen blieben auf den Käseecken haften, die Picandou hinuntergeworfen hatte. »Erst einmal die Stärkung, sonst fall ich in Ohnmacht.«

Und plötzlich hatten auch die andern, die beim Picknick mit den Ratten nur wenig gegessen hatten, Appetit bekommen, und nachdem Picandou viele Male zur Käsetheke hochgeklettert war, um alle zu versorgen (er hatte sogar ein paar welke Salatblätter für Bertram gefunden), lehnte Pomme de Terre sich an die Theke,

klopfte behaglich auf sein rundes Bäuchlein und begann zu
erzählen.

»Ich bin zwar kein Bang-
büx«, begann er.

»Kein was?«, flüsterte
Bertram den anderen zu.

»Er meint Hasenfuß,
du weißt schon ...«, erwiderte Picandou mit einem
vielsagenden Blick.

»Aber ich sach euch, als das Viech mir auf den Fersen war, da hab ich schon gedacht, mein letztes Stündlein hätte geschlagen …« Pomme de Terre schüttelte sich bei der Erinnerung.

Bertram warf ihm ein bewunderndes Lächeln zu. »Ihr seid eben ein echter Muskeltier«, sagte er.

Pomme de Terre winkte ab. Die anderen rückten etwas näher, um nur ja kein Wort zu verpassen.

»Jedenfalls spürte ich also seinen heißen Atem an meinen Ohren, ich hörte sein Röcheln und das Knirschen seiner Küsen, da lauf ich schneller denn je um mein Leben.«

»Küsen?«, fragte Gruyère.

»Er meint Zähne«, sagte Picandou.

»Und dann?«, fragte Bertram.

»Es gab nur eine Rettung: Ich sprang unters Auto.«

»Genau! Unter das blaue. Wir haben alles gesehen!«, rief Gruyère.

»Unter das blaue.« Pomme de Terre nickte. »Der Köter war natürlich gleich hinter mir her. Aber euer Freund hat ja 'n büschn was im Gripskasten.« Er deutete auf seinen Kopf. »Also, ich … bei nächster Gelegenheit … hinübergehechtet zum anderen Auto. Der Köter hat nix gemerkt. Ich klettere also innen am Reifen hoch bis zur Achse und hangle mich zum Auspuffrohr. Das Auto war so 'n Modell, wo das Rohr noch etwas tiefer sitzt – und dadrin hab ich mich versteckt. Ich kenn mich ja 'n büschn aus. Ich hab da nämlich 'nen Cousin vierten Grades, der neben 'ner Autowerkstatt wohnt. Der hat mir mal gezeigt, wie so was geht …«

»Und der Hund?« Bertram war schon ganz ungeduldig.

Pomme de Terre lächelte.

»Der kam da nich ran. Ich war also in Sicherheit – bis das Auto plötzlich wegfuhr. Problem is nämlich, dass so 'n Auspuffrohr entsetzlich nach verbranntem Benzin stinkt. Das hat mir mein Cousin allerdings nich erzählt. Es dauerte nich lange und mir war ganz übel von dem Geruch. Fast wurde ich ohnmächtig. Da ließ ich mich im letzten Moment fallen. Das Auto fuhr weiter, ich schlug auf den harten Boden auf, kam wieder zu mir und dachte: Jetzt bin ich raus aus diesem Gelände. War ich aber nich. Ich war leider nur in einer anderen Ecke vom Parkplatz.«

»Oh nein!«, rief Gruyère.

»Oh doch.« Pomme de Terre machte eine Kunstpause und schaute in die gebannten Gesichter. »Diesmal war ich direkt neben einem Häuschen gelandet.«

»Etwa dem Wächterhäuschen?«, fragte Picandou.

»Nein. Ein anderes Häuschen. Es war orange und hatte ein Schild, auf dem in großen Buchstaben Avis stand.«

»Das Wort ist französisch«, sagte Bertram. »Tassilo hatte jeden Mittwoch Französisch-Nachhilfe zu Hause. Da hörte ich immer ein bisschen mit. Es bedeutet übrigens Meinung, Hinweis oder Mitteilung.«

»Ein Zeichen also! Dachte ich mir schon!«, rief Pomme de Terre. »Denn,

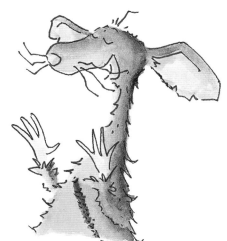

Leute, jetzt kommt der Knaller: Kein Zufall alles, denn an diesem Ort gab es tatsächlich eine Mitteilung, einen Hinweis sozusagen, der uns weiterbringt.« Sein Blick wanderte zu Gruyère. Er lächelte ihm zu. »Jungchen, ich hab ja gesehen, wie dein Kahn weg is, und hab bei mir gedacht – oh je, das war's mit dem Zuhause.«

»Ja, das war so«, sagte Gruyère. »Aber wer weiß, eines Tages werden wir es vielleicht doch noch finden.«

»Nee, nich eines Tages«, antwortete Pomme de Terre. »Demnächst. Ich weiß nämlich jetzt, wo dein Schiff ist.«

»Wirklich?« Gruyères Stimme quietschte vor Aufregung.

Pomme de Terre nickte. »Immer der Reihe nach. Ich musste ja raus aus dem Gelände und laufen ging nicht, wegen diesem Köter. Zum Glück aber stand hinter dem Häuschen ein Wagen rum. Und da hör ich dort tatsächlich zwei Männer miteinander schnacken. Ich seh, die Autotür is auf, und denk bei mir, einer von denen will wegfahren. Ich pese sofort zum Auspuff und höre, wie die sich über irgend so einen schnieken Dampfer bekakeln.«

»Über den, der weggefahren ist?«, fragte Bertram.

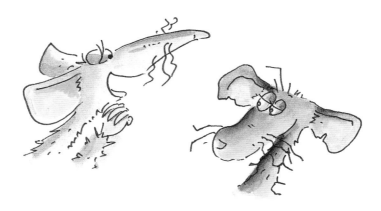

»Klar, du Schlaumeier.« Pomme de Terre nickte und sah sie reihum an. »Erst höre ich nur so halb zu, aber dann kriege ich mit, wie der eine Mann sagt, dass das Bötchen auf eine Helling gefahren ist.«

»Was ist denn eine Helling?«, fragte Picandou.

»Ein Ort, wo man Schiffe repariert«, antwortete Pomme de Terre.

»Nein!«, rief Bertram aufgeregt.

Gruyères Augen waren glasig vor Aufregung. »Und wo ist diese Helling?«

»Nicht weit von hier. Im Freihafen. Genau genommen bei Blohm und Voss. Dock 17«, antwortete Pomme de Terre. »Hab ich mir gleich eingeprägt. Dock 17, da müssen wir morgen alle hin.«

»Es ist schon morgen«, sagte Picandou und deutete aufs Schaufenster, hinter dem die Gebäude sich aus den Schatten lösten.

Pomme de Terres Erzählung hatte sie alle so gefesselt, dass keiner von ihnen gemerkt hatte, wie es hell geworden war. Die Straßenlaternen gingen aus, aber niemand rührte sich.

»Das sind wirklich tolle Neuigkeiten«, sagte Gruyère. »Wie soll ich dir je danken?«

»Indem ihr mir erst mal 'ne Mütze Schlaf gönnt, bevor wir losziehen«, antwortete Pomme de Terre, streckte sich und gähnte. Gemeinsam gingen sie zu Picandous Höhle, denn auch die anderen hatten nichts dagegen, nach der kurzen Nacht noch etwas zu ruhen.

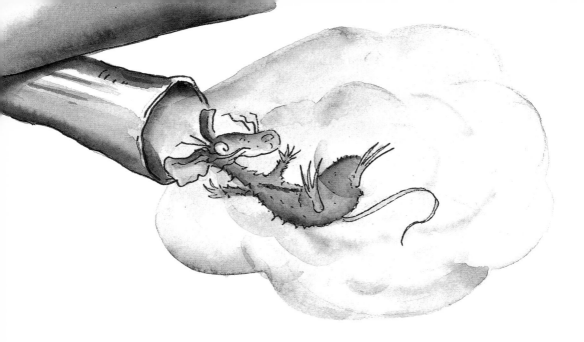

»Und wo kommt nun dieser schwarze Streifen her?«, fragte Bertram und deutete auf Pomme de Terres Bauch, während sie durch die Kellertür schlüpften.

»Na ja, während ich im Auspuff saß, habe ich zwar diesmal die Luft angehalten, aber dafür mein Fell versengt. Mein Cousin hat mir nämlich nich erzählt, dass diese Dinger richtig heiß werden können, wenn die in Betrieb sind.«

Bertram bestand darauf, dass Pomme de Terre jetzt das Schwammbett bekam, und sagte, es mache ihm gar nichts aus, auf dem Boden zu schlafen.

Bald lagen alle friedlich zusammengerollt auf ihren Lagern. Picandou, der es sich wieder in der Sardinendose gemütlich gemacht hatte, blinzelte zufrieden ins Dämmerlicht. Nein, er lächelte sogar. Pomme de Terre lebte, und morgen, nein heute, würden sie Gruyère nach Hause bringen. Er dachte wieder an Frau Fröhlich. Wer weiß, vielleicht würden sie es sogar schaffen, auch hier das Blatt zu wenden. Vielleicht wäre mit den Muskeltieren doch alles möglich!

Kapitel 13

Dock 17

Die Idee mit der Hafenrundfahrt kam von Bertram. Von seinem Käfig aus hatte er täglich die Touristenboote beobachtet, die an seiner Wohnung vorbeischipperten. Eine schrille Lautsprecherstimme hatte ihn jedes Mal aus dem Mittagsschlaf gerissen, wenn irgendwelche Sehenswürdigkeiten angepriesen wurden. Jetzt waren diese Störenfriede endlich einmal von Nutzen.

»Die fahren rüber zum Freihafen«, hatte er den anderen erklärt, »und dann durch das ganze Hafengelände.«

»Woher weißt du das?«, fragte Picandou misstrauisch. Man hatte ja so seine Erfahrungen mit dem Großmaul.

»Weil der Käpt'n das jedes Mal erwähnt hat, und zwar ziemlich laut, wenn sein Boot genau unter meinem Balkon war«, antwortete Bertram.

So kam es, dass zwei Mäuse, eine schlaksige weiße Ratte und ein Hamster gegen Mittag auf dem Tragebalken einer Fußgängerbrücke vorsichtig bis zur Brückenmitte trippelten. Sie trugen alle ihre Degen an der Seite, denn Bertram hatte für jeden mit Bindfaden eine Halterung dafür gebastelt.

Eigentlich hatte Picandou ursprünglich ja vorgehabt, zu Hause zu bleiben, doch als die anderen die Höhle verließen und die Kisten zum Waschbecken hinaufkletterten, war ihm der Gedanke, allein zurückzubleiben, auf einmal ganz unerträglich gewesen.

Weit unter ihnen floss träge das trübe Wasser des Kanals, links lag der Kai und rechts die alten Lagerhäuser der Speicherstadt. Picandou kniff die Augen zusammen und starrte auf den Horizont. Er durfte auf keinen Fall in die Tiefe schauen, denn dann würde ihm schwindelig, und er würde fallen. Darauf war so sicher Verlass, wie auf die Löcher im Schweizer Käse.

Der Himmel hinter den alten Lagerhäusern zeigte ein kaltes Novembergrau. Das sonnige Wetter hatte nur so lange angehalten, bis die vier Freunde ihr Versteck in der Deichstraße verlassen hatten. Inzwischen wehte wieder ein feuchter Herbstwind und trieb braune und gelbe Blätter über den Kai.

Diese Blätter waren zur Tarnung äußerst nützlich gewesen. Jedes Muskeltier hatte sich jeweils ein großes Blatt über den Kopf gehalten und war von Blätterhaufen zu Blätterhaufen gehüpft. So hatten sie ohne Zwischenfälle ihr Ziel erreicht.

Von der Brücke aus hatten sie
einen guten Blick auf die Anlege-
stelle. Dort schaukelte auch schon ein
Touristenboot. Es sah genauso aus, wie Bertram es beschrieben hatte, mit einem festen Dach aus Segeltuch. Ein älterer Herr, der die
Touristen an Bord gelotst hatte, machte gerade die Leinen los.

»Springt, wenn das Boot direkt unter der Brücke ist, und dann
stecht die Degen ins Segeltuch und haltet euch daran fest«, erklärte
Bertram den Plan. Seine Stimme klang etwas zittrig. Auch ihm war
nicht ganz wohl bei der Sache.

Das Boot wendete und fuhr jetzt langsam auf die Brücke zu.

Bertram hob den Degen. Die anderen taten es ihm nach.

»Bereit, meine Herren?«, piepste er.

»Bereit«, murmelten die Muskeltiere.

»Jetzt!«, rief Bertram, und dann sprangen alle ... bis auf einen!

Bertram hatte versucht, seinen Degen mit aller Wucht in das Segeltuch zu rammen, doch die Spitze rutschte daran ab. Stattdessen krallte er sich jetzt an der Plane fest. Die anderen beiden lagen neben ihm und schauten erschrocken zur Brücke hinauf. Dort oben stand Picandou. Er zitterte am ganzen Körper.

»Kommt ... schnell!«, rief Bertram. »Sonst ist es zu spät.«

Picandou schloss die Augen und sprang. Er hatte nicht damit gerechnet, dass das Segeltuch so glitschig sein würde. Er schlidderte das Dach entlang, rutschte über den Rand und konnte sich mit letzter Kraft gerade noch am Ende der Plane festhalten. Unter ihm schäumte das eiskalte Wasser. Hätte einer der Ausflügler nach oben geschaut, hätte er einen Mäuseschwanz und Hinterbeinchen sehen können.

So schnell es ging, krabbelte Bertram zum Mäuserich hinüber, streckte Picandou den Degen entgegen und drückte mit aller Kraft die Krallen seiner Hinterbeine in die Plane.

»Haltet Euch fest!«, rief er.

Picandou griff nach dem Degen und hielt sich fest. Langsam zog Bertram ihn auf das Segeltuchdach. Pomme de Terre und Gruyère waren auch dazugekommen und packten mit an. Picandou war ganz blass um die Nase.

»Mensch, das war man knapp, Alter!«, rief Pomme de Terre.

»Da hast du uns aber einen Schrecken eingejagt«, sagte Gruyère. »Das war ja eine ganz schöne Aufregung.«

Picandou schüttelte sich. »Ach was, seit wir uns kennen, jagt eine Aufregung die nächste. Allmählich gewöhne ich mich daran … oder muss mich daran gewöhnen, wenn ich mit euch zusammen sein will.«

Sie kletterten wieder in die Mitte des Dachs und ließen sich dort nieder. Picandou setzte sich zu Bertram.

»Danke, dass du mir das Leben gerettet hast.«

Bertram senkte verlegen den Blick, aber seine Nasenspitze wurde ganz rosig vor Freude.

»Och, nicht der Rede wert. Das tun Muskeltiere ja so untereinander.«

Das Boot verließ den Kanal und schipperte auf das Hafengelände zu. Über den Lautsprecher meldete sich die Stimme des Kapitäns. Er erzählte, wie Schiffe aus aller Welt hier ankamen, um ihre Fracht auszuladen. Gerade fuhren sie ganz dicht an zwei gewaltigen Containerschiffen vorbei. Sie waren so groß wie ein kleines Hochhaus. Ein Matrose lehnte über der Reling und starrte mit offenem Mund auf die vier Nager mit ihren winzigen Degen.

Der Fluss wurde breiter, fast so breit wie ein Meer, und die Wellen, die plötzlich gegen das Boot schlugen, ließen es auf und ab hüpfen. Ängstlich klammerten sich die Muskeltiere mit den Vorderpfoten am Segeltuch fest, während ihre Hinterbeine bei jeder Welle mithüpften.

Gruyère saß als Einziger aufrecht, hielt sich an seinem Degen fest und betrachtete mit einem seligen Lächeln die großen Schiffe. Dabei murmelte er: »Die lauen Sommernächte in der Karibik, wenn die Sonne scharlachrot am Horizont verschwindet und der Abendstern am Himmel funkelt. Die Lichterketten der Häfen, die

Möwen, die wie weiße Schatten aus der Dunkelheit auftauchen und ins Licht der Buglampe fliegen. Am schönsten ist es, nie anzukommen, sondern immer weiterzufahren ...«

Bertram schaute ihn überrascht an. Hatte Gruyère nicht schon mal genau das Gleiche gesagt? Das Boot wurde langsamer. Sie näherten sich jetzt den Kais mit den großen Kränen und fuhren direkt auf eine schwarze Wand mit weißen Buchstaben zu. Bertram starrte die Wand an und plötzlich machte er: »B«, und gleich danach, »B-L-.«

Die anderen sahen besorgt zu ihm hinüber. War ihm etwa schlecht geworden?

»BLO-H-M. Uff.« Bertram schüttelte sich.

»Bist du seekrank?«, fragte Picandou. »Wenn du dich übergeben musst ...«

»B-L-O-H-M«, antwortete Bertram, »und Und-Zeichen V-O-S-S.«

»Hast du gerade ›Blohm und Voss‹ gesagt?, fragte Pomme de Terre. Er war aufgesprungen und schaute ungläubig auf die Wand und dann zu Bertram. »Du hast doch nicht ›Blohm und Voss‹ gesagt, oder?«

»Doch, doch. Ich glaub schon«, sagte Bertram erschöpft. »Da steht's nämlich.«

»Wo steht's?«

»Auf der Wand.«

»Auf der Wand? Du nimmst uns auf den Arm«, sagte Picandou.

»Auf den Arm? Aber wieso?«

»Weil keine Maus, keine Ratte und auch kein Hamster Menschenschrift lesen kann!«, antwortete Pomme de Terre.

»Aber sicher kann ich das«, sagte Bertram. »Lesen und sogar schreiben!«

»Nicht möglich!«, rief Picandou, obwohl das Lesen ziemlich echt gewirkt hatte.

»Ich habe die Menschenschrift gelernt, während Tassilo mit seinem Nachhilfelehrer Lesen und Schreiben übte. Mein Käfig stand direkt neben seinem Schreibtisch.«

Sie hatten jetzt die Wand erreicht und fuhren dicht an ihr entlang.

»Sogar die Diktate habe ich aus Langeweile heimlich mitgeschrieben«, fuhr Bertram fort, »... im Puderbad. Ich hatte sogar weniger Fehler als mein Herrchen. Tassilo war nämlich stinkend faul und …«

Der Lautsprecher übertönte den Rest seiner Worte.

»Wenn Sie nach links schauen, sehen sie gleich das Fünf-Sterne-schiff, die MS Traviata, im Dock 17 liegen«, schnarrte die Stimme des Kapitäns. »Viele von Ihnen kennen es bestimmt aus der berühmten Fernsehserie ›Schiff meiner Träume‹.«

Das Boot glitt langsam um die große Wand herum, und die Muskeltiere reckten neugierig den Hals.

126

»Doch nicht das da?«, sagte Pomme de Terre gerade und deutete enttäuscht auf den Schiffsrumpf.

Vor ihnen lag ein älteres, weißes Schiff mit einem roten Streifen. Besonders schön sah es von hier unten nicht aus. Der Rumpf war grün und hier und da sah man Beulen. Es stand eingekeilt zwischen zwei gewaltigen roten Metallwänden auf trockenem Boden. Davor war eine Rampe angebaut, über die man das Schiff wieder ins Wasser rollen konnte.

Gruyère, der an den Rand des Daches gekrabbelt war, starrte hinauf zur Bugspitze und seufzte: »Schaut nur, das Schiff meiner Träume. Ist es nicht unglaublich schön! Und sogar viel, viel größer, als ich dachte.«

»Na, dann sollten wir dich möglichst fix rüberbringen!«, unterbrach ihn Pomme de Terre, denn das Boot fuhr jetzt längs an der Rampe entlang und war nur wenige Meter von dem Schiff entfernt. »Alle Mann bereit?«

»Bereit für was?!« Picandou wurde blass, doch da packte ihn Bertram schon an der einen Pfote, Pomme de Terre an der anderen, und bevor er wusste, wie ihm geschah, hatten ihn beide an den Rand des Segeltuchdachs gezogen. Picandou wehrte sich.

»Auf keinen Fall!«, rief er, aber niemand hörte ihn, denn der Kapitän erzählte gerade, wie die Schiffe zur Reparatur hierhergebracht wurden.

»Denn man tau, Leute!«, rief Pomme de Terre.

Picandou fühlte den Ruck. Er wurde mitgerissen und plötzlich hatte er keinen Boden mehr unter den Pfoten. Ein scharfer Wind wehte ihm um die Nase, und dann klatschten sie ins eiskalte Wasser. Picandou blieb vor Schreck die Luft weg. Er riss sich von Bertram und Pomme de Terre los und sank hinab in die dunkle, eisige Tiefe. Er rang wieder nach Luft, aber sein Mund füllte sich mit Wasser. Verzweifelt schlug er um sich, und auf einmal trieb er wieder nach oben.

»Wo ist Bertram?«, keuchte Pomme de Terre, der gerade neben ihm aufgetaucht war. »Können Hamster überhaupt schwimmen?«

»Hier – blubb – bin ich!«, antwortete es kläglich hinter einem Stück Holz. »Ich kann zwar nicht schwimmen. Aber ein Muskeltier scheut keine Gefahr.«

»Quatsch nich so! Halt dich lieber am Holz fest!«, rief Pomme de Terre ihm zu. Gerade noch rechtzeitig, denn in dem Moment nahm das Hafenboot wieder Fahrt auf. Große Wellen schwappten über die vier Muskeltiere. Pomme de Terre griff nach Picandous Pfote.

»Zusammenbleiben! Lasst euch auf die Rampe zutreiben!«, schrie er noch, und dann waren sie schon wieder unter einer Welle begraben.

Jemand packte Picandou am Schwanz. Es war Gruyère. Er kämpfte sich nach oben und zog den Mäuserich mit sich. Dann ließen beide sich von der Welle tragen. Das Holzstück samt Hamster schwamm an ihnen vorbei. Picandou griff danach und hielt sich mit letzter Kraft daran fest. Und dann spürten sie harten Boden unter den Füßen. Die Wellen warfen sie auf die Rampe, doch die Strömung wollte sie gleich wieder hinausziehen.

Gruyère, der als Erster die Rampe erreichte, sprang auf das Holzstück, hielt es fest und schrie: »Lasst los! Kommt zu mir.«

Picandou kämpfte sich zu ihm hinauf, auch Pomme de Terre krabbelte an Land. Beide sahen, wie Bertram im Wasser um sich schlug und immer wieder unterging. Picandou hielt sich an Pomme de Terre fest, machte einen Schritt zurück ins Wasser, sodass seine Schwanzspitze den Hamster fast berührte, und rief: »Halt dich an mir fest!«

Bertram packte die Schwanzspitze, Gruyère und Pomme de Terre bildeten eine Kette und zogen Bertram an Land. Erschöpft krochen sie unter den Rumpf des Schiffes und sanken pitsch- nass zu Boden. Das Grün

bestand, aus der Nähe gesehen, aus Tang und Muscheln, die das Schiff überzogen. Neben ihnen erhoben sich die roten Metallwände des Docks wie gewaltige Backsteine, die jemand hochkant neben das Schiff gestellt hatte. Ganz oben auf einer roten Wand bewegten sich Menschen. Sie liefen über einen schmalen Steg zum Schiff hinüber und sahen von hier unten aus wie winzige Ameisen. Da oben war also schon mal ein Weg, um an Bord zu gelangen. Aber wie sollten sie da je hinaufkommen?

An der Wand und am Schiffsrumpf gab es weder eine Regenrinne noch Balkons, an denen man hätte hinaufklettern können. In was waren sie da nur hineingeraten? Und ein Zurück gab es auch nicht mehr. Der Hamster sprach als Erster aus, was alle dachten: »Meine Herren, ich fürchte, wir haben ein kleines Problem.«

Kapitel 14

Endlich am Ziel

Viele Male waren die Glockenschläge vom Kirchturm des Alten Michel über den Fluss gehallt, seit die Muskeltiere an Land gekrochen waren. Nass und frierend hatten sie den Schiffsrumpf umrundet und nach einem Eingang gesucht. Das hatte ziemlich lange gedauert, denn das Schiff war sehr groß. Ihre Suche blieb erfolglos – der Rumpf war eine große fensterlose Wand.

Picandou dachte wieder daran, dass sie doch eigentlich auf dem falschen Dampfer waren – und das im ganz wörtlichen Sinn. Das Schiff war ja erst gestern im Hafen angekommen, aber er hatte das Häufchen Elend schon einen Tag davor höchstpersönlich aus der Pfütze gerettet. Das konnte doch nicht zusammenpassen!

Aber als er wieder davon anfing, seufzte Gruyère nur: Er schwöre beim letzten Tropfen seines Mäusebluts, das Schiff mit dem Kranich, das sei sein Heimatschiff! Was konnte Picandou da noch erwidern?

Als sie wieder an der Stelle ankamen, von der aus sie gestartet waren, kauerten sie sich dicht an den Fuß des Schiffsrumpfs, um

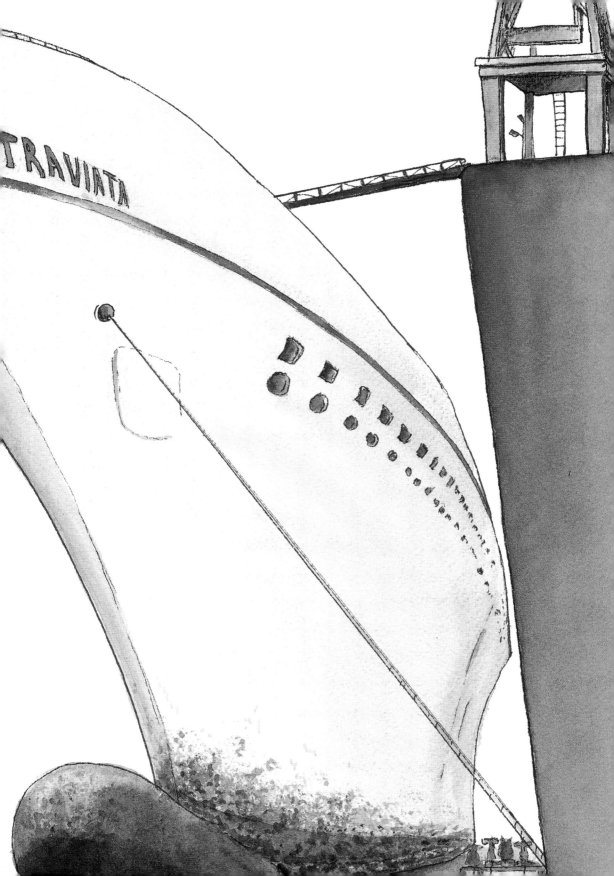

sich auszuruhen. Dort war es wenigstens etwas windgeschützt, und wenn man die Pfoten dicht an den Körper hielt und sich eng aneinanderdrückte, war es sogar ein ganz kleines bisschen warm. Wieder trug der eisige Wind die Glockenschläge des Alten Michel über das Wasser und der Nebel verschleierte den Horizont. Bald würde es dunkel werden.

Picandou schaute auf die wogenden grauen Wellen, die regelmäßig gegen die Rampe schlugen. Wie sollten sie hier nur wieder wegkommen? Nicht durch das Wasser. So viel stand fest. Fast wäre er heute darin ertrunken, und das gleich zwei Mal. Wäre Bertram ihm nicht zu Hilfe geeilt, dann wäre er vom Bootsdach in die kalten Fluten gestürzt. Der Hamster war zwar anstrengend und angeberisch, aber er war auch mutig und konnte außerdem erstaunlicherweise die Menschenschrift lesen und sogar schreiben. Seit Picandou das gehört hatte, nagte etwas an ihm, genauer genommen, die Ahnung einer Idee, die er noch nicht in Worte fassen konnte. Und dann war es plötzlich so, als würde der Nebel aufreißen. Auf einmal wusste er, wie er Frau Fröhlich helfen könnte – vorausgesetzt, sie kämen hier je wieder lebend raus.

»Ob wir hier wohl gemeinsam verhungern werden?«, fragte Gruyère jetzt düster.

Picandou, noch ganz in Gedanken versunken, antwortete nicht.

»Wir könnten dieses Grünzeug zu uns nehmen«, schlug Bertram vor und deutete auf den Tang am Schiffsrumpf.

»Du vielleicht«, antwortete Gruyère. »Aber für uns Mäuse ...«

»Tang!« Pomme de Terre war aufgestanden und betrachtete nachdenklich den Schiffsrumpf. »Und Muscheln. Tang und Muscheln! Das ist es!«, murmelte er. »Natürlich! Warum bin ich nicht gleich draufgekommen!« Er trippelte davon. »Bin gleich wieder da!«, rief er noch über die Schulter.

Neugierig schauten die anderen drei ihm nach. Was hatte er nur vor?

Es dauerte nicht lange, da kam Pomme de Terre schon wieder zurück.

»Ich habe unser Problem gelöst!«, rief er schon von Weitem.

»Wie?«, fragte Bertram. »Wirklich?«

»Na ja, so einen Schmuddelkahn muss man ja ab und zu von dem Grünzeug befreien, hab ich bei mir gedacht. Oder ein Leck muss repariert werden. Dafür müssen die Menschen, die das tun, ja irgendwie hier runterkommen, oder?«

Die anderen nickten zustimmend. Das leuchtete ein.

»Also, folgt mir!«, sagte Pomme de Terre und führte die Muskeltiere zum anderen Ende der roten Wand. Dort lag hinter einigen Gerüsten eine Tür verborgen, die sie vorher nicht bemerkt hatten. Die Tür war angelehnt und dahinter lag ein Treppenhaus. Eine Treppe aus Eisen führte im Inneren der roten Wand nach oben. Ein leises Wimmern war aus dem Halbdunkel zu hören.

»Wer ist das?«, flüsterte Gruyère.

»Das ist nur der Wind«, antwortete Pomme de Terre. Er klang mutiger, als er sich fühlte. Das Wimmern war auch ihm nicht geheuer, aber dies war nun mal der einzige Weg nach oben ins Schiff. Eine Weile standen sie still da und lauschten.

Dann sagte Picandou mit belegter Stimme: »Wenn ihr wollt, geh ich vor.«

Er konnte selbst kaum glauben, dass er das gerade gesagt hatte!

Aber seit er ahnte, wie er vielleicht den Laden retten könnte, fühlte er sich auf unerklärliche Weise viel mutiger, als er es eigentlich war.

»Wenn schon, dann gehen wir alle zusammen«, antwortete Pomme de Terre und zückte seinen Degen.

»Einer für alle und alle für einen«, flüsterte Gruyère mit einem Blick hinauf zum Schiff, und zögernd betraten sie das Treppenhaus und kletterten die Stufen hinauf.

Außer Atem kamen sie oben an. Die Tür, die hinaus auf die Plattform führte, stand offen, und ein starker Wind schlug ihnen entgegen, noch bevor sie ins Freie traten. Schwere Taue, Stahlseile und gewaltige Maschinen standen und lagen hier herum. Auf der einen Seite erstreckte sich weit unter ihnen der Fluss und auf der anderen Seite, nur wenige Meter entfernt, lag das Schiff. Und was für ein Schiff! Von hier oben sah es gleich ganz anders aus.

Die Decks waren aus dunklem Mahagoni-Holz. Lampen baumelten an verzierten Säulen, die die Veranden trugen, und hinter den Fenstern sah man einen prunkvollen Marmorraum mit Tischen und Sesseln, die mit blassgrüner Seide überzogen waren.

Nur ein schmaler Abgrund, allerdings ein sehr tiefer Abgrund, trennte die Muskeltiere noch von ihrem Ziel. Sie standen neben einem zusammengerollten Tau, das sich wie ein Berg neben ihnen erhob. Es war wahrscheinlich dafür gedacht, das Schiff festzumachen, wenn es wieder im Wasser schwamm. Beeindruckt schauten sie hinab in die Tiefe, aus der sie gerade hochgeklettert waren.

Picandou strahlte vor Stolz. »Fast da!«, sagte er.

»Und wo ist der Steg zum Schiff?«, fragte Pomme de Terre und schaute sich um.

»Meine Herren, ich spähe ihn für uns aus!«, bot Bertram an und begann den Tau-Berg hinaufzuklettern.

»Ist es nicht herrlich?!« Gruyères Blick war auf das Schiff geheftet. »Die Lichterketten der Häfen, die Möwen, die wie weiße Schatten aus der Dunkelheit auftauchen und ins Licht der Buglampe ...«

Weiter kam er nicht.

Ein Schatten fiel auf sie. Schwingen schlugen raschelnd wie Seidenpapier über ihnen und eine Stimme näselte: »Heda – Imbiss! Heda – Imbiss!«

Und schon hatte eine Möwe Bertram gepackt und schwebte mit ihm in die Luft über den Abgrund zwischen roter Wand und weißem Schiff.

»Nein!«, rief Pomme de Terre der Möwe zu. »Komm zurück! Was willst du mit einem Hamster?«

»EinHahaHamster?? Igittigittigitt! HahaDummkopf. IsDochNurEinHamster«, krächzten zwei Möwen, die sich gerade auf dem zusammengerollten Tau niederließen. Sie bogen sich vor Lachen. Die Kollegin hatte sie gehört. Sie betrachtete ihre Beute und ließ sie enttäuscht fallen.

Bertram purzelte aufs Schiffsdeck, wohin die Möwe ihn getragen hatte, und überschlug sich. Kläglich schaute er hinüber zu den anderen. Die hatten sich schnell unter dem Tau vor den Möwen in Sicherheit gebracht, konnten aber Bertram von dort aus gut sehen.

»Na, toll!«, seufzte Pomme de Terre. »Wenn sie wenigstens dich gepackt hätte, Jungchen, dann hätten wir unsere Mission erfüllt«, sagte er zu Gruyère.

»Ich hätte gerne mit Bertram getauscht«, antwortete Gruyère.

»WillstDuEtwaDaRüber?«, fragte eine der Möwen. Sie sprach sehr schnell und schüttelte sich dabei vor Lachen. »DaIstDochNix-Los.«

»Ja«, antwortete Gruyère. »Das will ich. Das ist mein Zuhause. Deswegen.«

»DuArmer. DaIstDochEchtNixLos!«, rief die zweite Möwe und kicherte. »DaFahrenDochNurSoAlteKnackerMit.«

»RentnerVereinRentnerVerein!«, krächzte die erste Möwe vergnügt.

»Das stimmt überhaupt nicht«, zischte Gruyère. Er war entrüstet. »Die gehen mir ganz schön auf die Nerven«, flüsterte er den anderen zu. »Lasst uns den Steg suchen. Der ist bestimmt nicht mehr weit.«

»Solange diese zwei Gesellen über uns hocken, gehen wir nirgendwohin«, erwiderte Pomme de Terre. »Ich will nicht als Möwenfutter enden.«

»Du meinst, die fressen Mäuse?«, fragte Gruyère ängstlich.

Pomme de Terre nickte. »Das weiß ich von einem Onkel, der am Hafen wohnte, der kannte da jemand, der ... nun ja ... Es war zum Glück ein schnelles Ende ...«

Gruyère rutschte tiefer in die Ausbuchtung zwischen den Tauen.

»AberKeineRatten«, sagte die Möwe und lachte wieder. Sie musste sehr feine Ohren haben, denn die Muskeltiere hatten leise gesprochen. »ÜbrigensNenntManUnsRattenDerLüfte. WusstetIhrDas?«,
fuhr sie fort. »WirSindSozusagenVerwa-a-a-andt.«

»Meint sie etwa uns?«, fragte Gruyère.

»Genau-u-u! DichKumpel«, rief die Möwe.

»Sie scheint zu glauben, dass du eine Ratte bist«, sagte Pomme
de Terre.

»Aber warum?«

»Keine Ahnung. Aber es bedeutet, dass sie dich nicht fressen würde, weil ihr ja ihrer Meinung nach verwandt seid. Vielleicht bringt
sie dich sogar rüber aufs Schiff.«

»Nein, das glaube ich nicht. Das Ganze ist eine Falle«, antwortete
Gruyère.

»Nö-ö-ö«, sagte die Möwe. »WennDuDasEchtWillstBringIch-
DichRüberZuDeinemKollegen, Land-r-r-r-atte.«

Wieder brach sie in Gelächter aus. Gruyère rutschte noch etwas
tiefer ins Innere des Taus hinein.

»Wartet mal«, sagte Picandou, der bis jetzt still zugehört hatte,
»vielleicht sollten wir über ihr Angebot nachdenken. Sie hält dich
für eine Ratte. Na und? Hauptsache, sie bringt dich rüber und Bertram wieder auf unsere Seite zurück.«

Gruyère sah ihn enttäuscht an. »Wolltet ihr nicht mit an Bord?«

Picandou ächzte leise. »Ach, weißt du, vorhin, als Bertram
BLOHM & VOSS gelesen hat, ist mir klar geworden, wie ich Frau
Fröhlich helfen kann. Ich weiß jetzt, wie wir vielleicht den Laden
retten können. Es ist nun mal mein Zuhause. Deswegen muss ich
alles versuchen. Dafür brauche ich allerdings Bertram.«

»Bertram?«, riefen die anderen beiden.

»Wieso denn ihn?«, fragte Pomme de Terre etwas beleidigt.

»Dich brauche ich natürlich auch«, antwortete Picandou. »Euch beide.«

»Verstehe«, sagte die Ratte bedrückt. »Du brauchst also die beiden, aber mich nicht?«

»Nein!«, rief Picandou und seufzte. »So ist es nun auch wieder nicht. Es ist nur: Dein Ziel war immer dieses Schiff. Deswegen haben wir weiß ich was alles getan, um dich hierherzubringen. Und nun hast du endlich dein Ziel erreicht. Ich dachte, du würdest darüber glücklich sein und bestimmt nicht gleich wieder fortwollen. Deswegen habe ich nicht mit deiner Hilfe gerechnet. So gerne ich dich natürlich dabeihätte. Aber vielleicht werde ich deine Hilfe ein andermal ...«

»Schon gut«, flüsterte die Ratte und versuchte, ihre Enttäuschung zu verbergen. »Es ist nur ... der Gedanke, euch alle nie wiederzusehen ... Na ja, ihr seid jetzt irgendwie ein Teil meiner Familie geworden. Und ich weiß gar nicht so recht, wie ohne euch alles werden wird ...«

»Hallo, die Herren!«, ertönte Bertrams Stimme vom Schiff. »Was ist denn nun? Kommt ihr rüber?«

»Moment noch! Wir machen gerade einen Plan!«, rief Picandou zurück. Nachdem sie kurz beratschlagt hatten, rief er den Möwen zu: »Wir haben folgendes Angebot – ihr bringt den Hamster zu uns. Die Ratte wiederum bringt ihr aufs Schiff. Dafür führen wir euch zu einem Müllsack mit unglaublichen Leckereien. Wir brauchen nur euer Ehrenwort, dass ihr keinen von uns verspeist ...«

»JoooKönnenWirDrüberReden«, krähte eine Möwe.

»LohntSichDasÜberhaupt?«

»Und ob sich das lohnt«, rief Pomme de Terre. »Es ist der beste Müllsack in ganz Hamburg. Aber wenn ihr nicht wollt …«

»DochDoch. DochDoch«, kreischten die Möwen und schwangen sich in die Luft.

Bertram hatte nichts gehört, deswegen mussten sie ihm alles noch mal erklären, bevor sie losflogen. Zuerst brachten sie den schimpfenden Hamster zu den anderen. Dann umarmte Gruyère alle drei zum Abschied, während die Möwen interessiert zuschauten.

»DieVolleHarmonie. HamsterRatteMaus. Toll«, sagte eine.

Gruyère versprach, seine Freunde zu besuchen, wenn das Schiff das nächste Mal Hamburg anlaufen würde.

»Ich hoffe, wir sind bis dahin noch im Laden. Jedenfalls tue ich alles, damit es klappt«, sagte Picandou.

Ein bisschen unwohl war ihm jetzt doch bei dem Gedanken, dass er die Ratte lange Zeit nicht mehr wiedersehen würde. Gruyère mit seinem sanften Wesen war ihm doch etwas ans Herz gewachsen.

»Und seid ihr sicher, dass sie mich wirklich für eine Ratte halten?«, flüsterte Gruyère mit einem ängstlichen Blick auf die Möwen, die immer näher gerückt waren, um den Abschied zu beobachten.

»Ganz sicher«, erwiderte Pomme de Terre leise. »Das bilden die sich einfach ein. Also, mien Jung. Pass man gut auf dich auf, und denn man tau.«

»Wir werden Euch ganz bestimmt nie vergessen«, sagte Bertram mit einer kleinen Verbeugung.

Dann kam Gruyère aus dem Schutz des aufgerollten Taus hervor und ließ sich von der Möwe am Kragen packen. Die Möwe flatterte los, schwang sich in die Luft und flog mit Gruyère hinüber zum Schiff. Die anderen schauten gespannt zu. In geringer Höhe über dem Deck ließ die Möwe Gruyère sanft zu Boden plumpsen.

»TschüssingDenn, Kollege!«, rief sie noch, flog eine kleine Ehrenrunde und landete wieder neben dem Tau auf der anderen Seite. Bertram trat als Erster vor und hob feierlich den Degen zum Gruß. Pomme de Terre und auch Picandou taten es ihm nach, nach einem vorsichtigen Blick auf die Möwen. Nebeneinander standen die Muskeltiere am Rand des Abgrunds und schauten mit erhobenen Degen hinüber.

Gruyère lächelte traurig. Auch er zückte seinen Degen.

»Einer für alle und alle für einen!«, rief er zum Abschied. »Auf Wiedersehen, liebe Muskeltiere.«

Die Möwen klapperten mit den Schnäbeln. »SchickSchick! SchickSchick! SchickeVorstellung!«

Sie brachen wieder in schrilles Gelächter aus. Den anderen war nicht nach Lachen zumute. Das merkten sogar die Möwen.

»SorryLeute«, sagte die Möwe, die Gruyère hinübergebracht hatte. »SollenWirDennJetztMalEndlichZumMüllsackFliegen?«

Eine Möwe trug Picandou und Pomme de Terre in ihren Krallen. Die andere hatte Bertram gepackt. Mit ihrer Last erhoben sie sich nur langsam in die Luft und flogen über das Schiff.

Picandou kniff die Augen zu. Er wollte lieber nicht nach unten schauen. Doch bevor er die Augen schloss, fiel sein Blick auf Gruyère. Reglos, den Degen noch immer aufrecht in der Pfote, stand er auf dem Deck und sah zu ihnen hinauf. Er wirkte irgendwie verloren.

Kapitel 15

Picandou hat einen Plan

Es war nicht leicht gewesen, Frau Fröhlichs Innenhof zu finden, denn von oben sieht eine Stadt immer ganz anders aus als von unten. Pomme de Terre hatte das Kommando übernommen, denn Picandou weigerte sich, die Augen zu öffnen, bis er wieder festen Boden unter den Pfoten hatte.

So hatte Pomme de Terre mal gerufen: »Mehr nach links, bei dem grauen Dach neben dem Kirchturm, Maat« und dann wieder: »Nee, doch nich. Eher da drüben, das rote mit dem Fenster oder vielleicht der Hof mit den Blumentöpfen.«

Die Möwen waren geduldig hin und her geflattert und nach einigem Herumirren hatten sie endlich den richtigen Innenhof erreicht. Es dämmerte schon, und der Müllsack stand wie üblich an seinem Platz.

Es war ein leichtes Spiel für die Möwen, das Plastik mit ihren spitzen Schnäbeln aufzuschlitzen. Und das, was aus dem Sack herausquoll, übertraf alle ihre Erwartungen. Erst nachdem die ganze Runde einen nicht zu schmalen Imbiss zu sich genommen hatte, verabschiedeten sich die Muskeltiere von den Vögeln, die gerade noch einen Fischkopf und mehrere Krabbenschwänze entdeckt hatten, an denen sie noch ein bisschen weiternaschen wollten.

»Aber schön wieder aufräumen«, schärfte Picandou ihnen noch ein. »Sonst stellt Frau Fröhlich den Sack nie wieder raus.«

»AllesKlarMaat, DennManTau«, antwortete eine Möwe, und die andere, die noch den Kopf im Müllsack hatte, krächzte: »DennManTau, DennManTau«.

Picandou schob das Sieb beiseite, und die drei Muskeltiere verschwanden im Abflussrohr.

Picandou hatte die beiden anderen beim Essen in seinen Plan eingeweiht, und sie waren sofort Feuer und Flamme.

»Herrlich! Wie bei den echten Muskeltieren. Retter der Armen, der Witwen und der Waisen!«, rief Bertram.

Doch als sie den Laden betraten, bekamen sie einen Schreck. Hinter der Theke stand ein Stapel Kisten. Die Käsetheke war leergeräumt, und auch die Auslage im Fenster war leer.

»Ich fürchte, wir kommen zu spät, Alter«, sagte Pomme de Terre.

»Wir dürfen keine Zeit mehr verlieren«, antwortete Picandou. »Kommt.«

Sie kehrten in den Keller zurück und kletterten über Kisten und offen stehende Schubladen auf den Schreibtisch hinauf. Picandou knipste die kleine Lampe an, die auf dem Tisch stand.

»Was für ein Kuddelmuddel! Da ham wir man büschn was zu tun«, sagte Pomme de Terre und betrachtete kopfschüttelnd die unordentlichen Papierberge. »Bei dieser Lüscherei kann man doch keinen Laden führen.«

Picandou seufzte. Aus der Nähe sah alles noch viel schlimmer aus.

Pomme de Terre verschränkte die Pfoten ineinander und streckte und knackte sie.

»Ich schlage folgende Vorgehensweise vor«, sagte er, nachdem er einen Moment überlegt hatte.

»Welche Speise?«, fragte Picandou.

»Ich sagte: Vorgehensweise. Das heißt: das, was wir zuerst tun.«

»Aha.«

»Bertram, du liest mir man vor, welches Wort bei Betreff auf den Briefen steht. Wenn dort das Wort ›Rechnung‹ oder ›Mahnung‹ vorkommt, legst du, Picandou, den Brief nach links. Wenn das Wort ›Bezahlt‹ daraufsteht, kommt der Brief nach rechts. Alles andere geht in die Mitte. Verstanden?«

»Verstanden!«

»Denn man tau.«

Picandou stellte sich in Position neben das erste Blatt, und Bertram trippelte ans obere Ende des Blattes, um den Anfang des Briefes besser lesen zu können.

»L-I-E.«

»Nein, das nich. Eine Zeile höher«, befahl Pomme de Terre.

»B-E-T-R-E.« Bertram klang schon wieder, als ob ihm gleich übel würde.

Picandou ächzte. Es versprach, ein langer Abend zu werden.

Bertram buchstabierte und buchstabierte und langsam, sehr langsam, wurden aus den Buchstaben Wörter. Mit etwas Übung ging das Buchstabieren im Laufe der Nacht etwas schneller. Picandou sprang hin und her und zog die Blätter mal nach links (meistens nach links), mal nach rechts und mal in die Mitte.

Als es dämmerte, lagen drei ordentliche Briefstapel auf dem Schreibtisch. Der linke Stapel war der höchste. Der in der Mitte war etwas kleiner und der rechte, mit den bezahlten Rechnungen, war der allerkleinste Stapel.

»Jetzt sieht man schon mal, wo das Problem liegt«, sagte Pomme de Terre fachmännisch.

Da seine Höhle in der *Dicken Seejungfrau* direkt neben Klemkes Büro gelegen hatte, hatte er als einziger Muskeltier eine Ahnung davon, wie man mit so einem, wie Klemke sagte, »Papierkladderadatsch« umging.

Oft hatte Herr Klemke ihn beim Mittagsschlaf gestört. Dann nämlich, wenn er seinem Koch lange und laute Reden darüber hielt, wie man ein Geschäft ordentlich führt. Seine Lieblingsworte für die *Dicke Seejungfrau* waren »Saftladen« und »Chaotenbude«.

So hatte Pomme de Terre einiges mitbekommen. Er wusste, was man tun musste, wenn man eine Rechnung nicht sofort bezahlen konnte. Und er wusste, welche Rechnungen man unbedingt sofort bezahlen musste. Deswegen ließ er Bertram alle Rechnungen gleich noch einmal vorlesen. Und Picandou sortierte dann die Rechnungen, die sofort bezahlt werden mussten, nach oben. Danach waren sie alle sehr erschöpft. Nun gab es nur noch eine Sache, die dringend erledigt werden musste – der Brief!

Gemeinsam überlegten sie, was genau darin stehen sollte. Picandou fand in einer Schublade ein sauberes Blatt Papier und in einer anderen ein Tintenfass. Bertram tauchte eine Kralle in die Tinte und schrieb in sehr krakeliger Schrift:

Libe Gerda,

Tu was ich dir sage und alles wird gut.
Schlise auf keinen fal den laden!
Sonst passiert ein groses unglück.
auf dem shreibtish im keler ligt links
ein stapel mit rechnungen.
Bezale die ersten drei sofort!!!
Bitte shreibe den anderen, das sie das gelt
in einem monat bekomen.
Liste für bestelungen folgt.
Jemant der es GUT mit dir maint

PS: kein wort zu nimant!

Bertram schwitzte vor Anstrengung. Die anderen beiden schauten ihm andächtig zu. Seine Schrift war zwar etwas krakelig, aber für einen Hamster ziemlich beeindruckend. Als er fertig war, reichte Picandou ihm ein Stück Serviette. Damit wischte Bertram sich die Tinte von der Kralle.

Dann trugen sie das Blatt die Treppe hinauf in den Laden und legten es auf die Ladentheke. Gerade rechtzeitig, denn die Kirchturmuhr schlug sieben. Danach gingen sie erschöpft zu Bett.

Bevor Picandou einschlief, fragte er sich, ob Frau Fröhlich den Brief wohl ernst nehmen würde? Vielleicht hielt sie ja das Ganze für einen bösen Scherz? Aber bevor er weiter darüber nachdenken konnte, war er schon eingeschlafen.

Kapitel 16

Margarethes Geheimnis

Kurz darauf weckte ein Schrei die Muskeltiere. Er kam aus dem Laden. Dann wurde die Kellertür, die wegen des kaputten Schlosses wie immer nur angelehnt war, weit aufgerissen.

»Heilige Jungfrau Maria!«, flüsterte die Stimme, aber sie gehörte nicht Frau Fröhlich, sondern Margarethe.

»Katzenkleister«, flüsterte Picandou. »Die Falsche hat den Brief gefunden!«

Leise schlichen sich die drei Muskeltiere zum Höhleneingang und lauschten. Picandou bemerkte sofort, dass sie vergessen hatten, die Schreibtischlampe auszumachen. Margarethe konnte das Licht von der Kellertreppe aus gut sehen. Und dann sah sie auch die ordentlichen Papierstapel. Der Brief in ihrer Hand zitterte.

»Heinrich!«

Sie klang benommen. Ihr Blick wanderte ängstlich durch den Raum. »Ich wusste es.«

Die Ladenglocke bimmelte ein zweites Mal.

Frau Fröhlich rief: »Guten Morgen, Margarethe!« Nach einer kurzen Pause sagte sie: »Aber, Margarethe, was ist denn mit Ihnen? Sie sind ja ganz blass. Werden Sie mir etwa krank?«

»Nein, nein«, antwortete Margarethes zittrige Stimme. »Es geht mir gut. Ich brauche nur einen sehr starken Kaffee.«

»Vielleicht zeigt sie ja Frau Fröhlich gleich den Brief?«, flüsterte Bertram aufgeregt.

»Sonst ist das Unterschlagung von Eigentum«, bemerkte Pomme de Terre. Auch das hatte er von Herrn Klemke gelernt.

Aber Margarethe zeigte Frau Fröhlich den Brief nicht. Angespannt hockten die Muskeltiere vor der Kellertür und lauschten. Sie waren natürlich sofort die Treppe hochgeklettert, um alles mitzubekommen.

»Ich schlage vor, wir fangen heute endlich mit dem Ausräumen des Kellers an«, sagte Frau Fröhlich und klapperte mit den Kaffeetassen.

»Nein!«, rief Margarethe etwas schrill. »Nicht mit dem Keller!«

»Aber warum denn nicht?«

»Weil ...« Margarethe schwieg ziemlich lange.

»Aber, Margarethe, was ist denn mit Ihnen?«, fragte Frau Fröhlich. »Am besten wäre, Sie gehen nach Hause und legen sich ins Bett. Ich schaffe das hier schon alleine.«

»Nein! Auf keinen Fall!«

»Margarethe!«

»Das geht nicht. Hören Sie zu, Frau Fröhlich, Gerda, wir dürfen den Laden nicht schließen.«

»Meinen Sie, ich will das? Aber wir haben doch keine Wahl!« Frau Fröhlich seufzte schwer.

»Doch. Die haben wir! Ich ... Gerda … ich weiß nicht, wie ich Ihnen das erklären soll, aber … ich glaube, Ihr Mann … hat eine Botschaft für uns hinterlassen.«

»Wie?«, sagte Frau Fröhlich. »Unsinn! Jetzt fangen Sie mir bloß nicht wieder mit diesem abergläubischen Kram an. Mein Mann ist tot. Er kann uns keine Botschaften hinterlassen.«

»Doch!«

»Margarethe!« Frau Fröhlichs Stimme klang sehr streng.

»Bitte glauben Sie mir«, sagte Margarethe. »Das ist kein abergläubischer Kram, wie Sie sagen. Er … er erschien mir heute Nacht im … im Schlaf.« Margarethe flunkerte ungern, aber den Brief wollte sie Frau Fröhlich nun doch lieber nicht zeigen. »Er sagte ganz deutlich, was wir zu tun hätten: Nicht den Laden aufgeben, sagte er, sonst passiert ein Unglück. Und dann sagte er, er habe den Schreibtisch aufgeräumt. Und wir sollen die obersten drei Rechnungen sofort bezahlen.«

»Margarethe, jetzt ist aber wirklich Schluss!«

»Ja, aber ich habe gerade in den Keller geschaut. Der Schreibtisch ist tatsächlich aufgeräumt, und ich war es nicht. Oder haben Sie das etwa getan?«

Stühle scharrten. Die Muskeltiere sprangen hastig zurück in die Höhle unter der Treppe. Gerade rechtzeitig, denn die Kellertür öffnete sich und Frau Fröhlich kam die ersten Stufen hinabgehumpelt und starrte auf den Schreibtisch.

»Sie waren es nicht?«, fragte sie Margarethe.

»Nein. Ich schwör's!«

»Ich auch nicht. War denn sonst jemand hier?«

»Nein, niemand! Das ist es ja!«

Frau Fröhlich blieb vor dem aufgeräumten Tisch stehen. Langsam tasteten ihre Finger über die Stapel. Sie zitterten etwas. Vielleicht erinnerte sich die alte Dame daran, dass sie neulich auch das Gefühl gehabt hatte, dass sie nicht allein im Keller war.

»Welche Rechnungen?«, fragte sie schließlich.

»Die drei ersten auf dem linken Stapel.«

Frau Fröhlich nahm die erste Rechnung hoch. Sie las sie und legte sie auf den Tisch. Dann nahm sie die zwei anderen Rechnungen und betrachtete sie lange.

»Bitte«, sagte Margarethe. »Versuchen wir es! Viel haben wir ohnehin nicht zu verlieren.«

Frau Fröhlich nickte nachdenklich.

»Wer immer die Rechnungen ausgesucht hat, versteht offenbar mehr vom Geschäft als ich«, murmelte sie. Ohne ein weiteres Wort sammelte sie die drei Briefe ein und humpelte damit nach oben. Kurz darauf ging die Ladentür auf und wieder zu.

»Ich wette, sie ist zur Bank gegangen«, flüsterte Picandou.

»Gut!« Pomme de Terre zupfte zufrieden an seinen Schnurrhaaren. »Damit haben wir etwas Zeit gewonnen. Heute Abend überlegen wir, wie sie am schnellsten diese Schulden loswird. Das wird ein noch viel längerer Brief als der letzte, Digger.« Er nickte Bertram zu.

»Was waren das überhaupt für Rechnungen?«, fragte Picandou, als sie wieder die Stufen hinab zur Höhle kletterten.

»Strom und Miete«, antwortete Pomme de Terre. »Und Käse. Wenn das bezahlt ist und sie den anderen geschrieben hat, kann sie wieder neue Bestellungen machen.«

Weil sie wenig geschlafen hatten, fielen sie wieder in ihre Betten beziehungsweise auf den Schwamm und in die Sardinendosen.

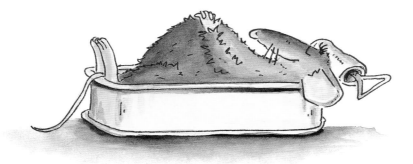

Erst ein herrlicher Duft nach Essen weckte die Muskeltiere auf. Sie schnüffelten begierig, und sogar Bertram, der ja eigentlich Salat und Gemüse bevorzugte, lief das Wasser im Mund zusammen. Aus der Küche hörten sie Margarethes und Frau Fröhlichs Stimmen. Wie immer kochten sie zusammen, auch wenn es heute nur für sie beide war, und plauderten dabei. Die Muskeltiere lauschten wieder an der Kellertür.

Gerade erzählte Margarethe die Geschichte einer englischen Freundin, die ein altes Haus auf dem Land gekauft hatte. Nachts hatte sie in dem Haus plötzlich Schritte gehört und einmal war sogar Licht unter dem Spalt einer geschlossenen Tür zu sehen gewesen. Erst hatte sie furchtbare Angst vor dem Geist gehabt, aber irgendwann hatte sie gemerkt, dass er ihr freundlich gesinnt war. Und dann hatte sie sich sogar an ihn gewöhnt und fand es gar nicht mehr schlimm, in einem Spukhaus zu wohnen.

»Na«, sagte Frau Fröhlich, »vielleicht sollten wir deine Freundin mal besuchen und Erfahrungen austauschen?«

Die Muskeltiere sahen sich mit großen Augen an. Es klang fast, als könnte ihr Plan klappen.

Kapitel 17

Gruyère in Not – und ein Schiff in Gefahr

Picandou saß vor einem riesigen Turm aus Käse-
würfeln, der immer weiter in die Höhe wuchs.
Er streckte die Pfote aus und brach ein
Stück ab. Da begann es, im Turm
zu klopfen. Es klopfte und klopfte, bis der Käseturm anfing zu
schwanken. Je lauter das Klopfen
wurde, desto stärker schwankte
der Käseturm, und dann rüttelte
ihn auch noch jemand am Arm.
Picandou wusste, dass der Käseturm
gleich einstürzen würde, und riss sich los.

»Hey, Alter. Oben im Laden klopft jemand an die Tür«, sagte
Pomme de Terres Stimme direkt neben seinem Ohr.

Der Käseturm verschwand und Picandou schlug die Augen auf.
Pomme de Terre und Bertram standen neben seinem Bett und Bertram zupfte ungeduldig an seinem Arm.

»Schade«, sagte Picandou. »Mein schöner Käseturm ist weg.«

Es klopfte schon wieder. Es kam von oben, aus dem Laden.

»Vielleicht ist es ein Einbrecher«, flüsterte Bertram aufgeregt.

»Ein Einbrecher wird wohl kaum klopfen«, knurrte Pomme de Terre. »Los, wir schauen nach.«

Die drei Muskeltiere schlichen die Treppe hinauf und spähten vorsichtig in den Laden. Das Licht der Laterne fiel über die Fliesen, und diesmal war das Klopfen noch viel lauter. Jemand klopfte hartnäckig gegen die Glasscheibe. Aber es war kein Mensch, der vor der Tür stand. Es war eine Möwe, die da mit dem Schnabel heftig gegen die Scheibe pickte. Als sie die Muskeltiere bemerkte, hüpfte sie aufgeregt hin und her und machte mit dem Kopf Zeichen, die niemand verstand.

»Ist die etwa wegen des Müllsacks hier?«, fragte Picandou verärgert und trippelte zur Tür. »Du hast uns umsonst geweckt. Müllsack gibt's heute nicht«, rief er durch den Spalt zwischen Tür und Rahmen.

Gedämpft kam von draußen krächzend zurück: »Gruyère«, »HilfeHilfe« und: »JetztSofort!«

Picandous Herz zog sich zusammen. Wenn Gruyère eine Möwe schickte, musste die Lage ernst sein. Was war geschehen?

»Wir treffen uns gleich draußen!«, rief er, deutete in Richtung Innenhof und huschte zurück zur Kellertür.

Kurz darauf standen die Muskeltiere frierend im Schutz der Blumentöpfe. Der Mond warf sein silbernes Licht auf die Pflastersteine, wo die Möwe an einem Stück Brot pickte, das Picandou ihr mitgebracht hatte. »EuerFreundBrauchtEuchSofort«, sagte sie

zwischen zwei Bissen. »NurDieMuskeltiereKönnenMirHelfenHat-
ErGesagt.ErMeintEuch.Hihi.«

Sie legte den Kopf auf die Seite und betrachtete die drei aus
frechen, dunklen Augen. »AberVonMuskelnSehIchEchtKeineSpur.
Hihi.«

»Gibt es Probleme mit seiner Familie?«, fragte Pomme de Terre.

»SeinerFamilie?«, rief die Möwe. »WoIsSeineFamilie?«

»Auf dem Schiff.«

»DaIstNichtSeineFamilie.«

Die Muskeltiere sahen sie überrascht an.

»Doch, sicher. Da wohnt seine Familie«,
erwiderte Picandou. »Hat er uns doch
gesagt. Obwohl ich schon immer dachte, mit dem Schiff ist was faul!«

»DaWohntNichMalNeMaus,
GanzZuSchweigenVonEiner-
Ratte.«

»Und warum ist er nicht sel-
ber gekommen?«, fragte Pomme
de Terre misstrauisch.

»WeilErFeststecktUndSich-
NichtBewegenKann.ErHatGe-
sagtIhrSolltSofortKommenBevor-
ErErfriert.«

»Na denn.« Bertram trat mutig vor.
»Muskeltiere, wir müssen unserem Freund
zur Seite stehen. Aber wehe, du legst uns rein,
Möwe!«

Alle drei hielten sie sich an den Beinen der Möwe fest. Nach einigen Fehlstarts hob sie trotz ihrer schweren Last behäbig ab. Picandou kniff wie immer die Augen zu. Auch wenn er viel lieber in sein Bett zurückgeschlichen wäre, konnte er Gruyère unmöglich im Stich lassen.

Diesmal ging die Reise erstaunlich schnell. Die Möwe fand selbst im Dunkeln den Weg zum Schiff ohne Probleme. Unter ihnen glitzerten die Lichter der Großstadt. Dann flogen sie über das schwarze Wasser, und schon bald tauchten die Lichter des Hafens auf.

Kurz vor der Landung auf dem feuchten Deck des Schiffes befahl die Möwe ihren Passagieren, ihre Beine loszulassen. Die Tiere schlitterten von der Wucht des Aufpralls einige Meter über die feuchten Holzplanken. Der Flug war zwar kurz, aber eisig gewesen, und die Muskeltiere schüttelten die tauben Pfoten, um wieder warm zu werden. Auf der roten Wand gegenüber brannten ein paar Lichter. Sonst lag alles verlassen da.

Picandou rappelte sich auf. »Wo ist er denn?«

»DaDrüben.« Die Möwe hüpfte ein paar Schritte über das Deck in eine Ecke.

Die Muskeltiere folgten ihr. Sie hörten ein leises Wimmern. Es kam aus einem Metallkasten auf dem Boden.

»Gruyère?«, rief Picandou.

»Picandou? Pomme de Terre? Bertram? Ihr seid endlich da!« Die Stimme klang schwach und erleichtert.

Die Muskeltiere lugten in den Kasten hinein. Es war ein Lüftungsschacht mit einem Gitter, und in dem Gitter steckte Gruyère. Seine vier Pfoten hatten sich so in dem Draht verfangen, dass er sich nicht mehr bewegen konnte. Er zitterte vor Kälte.

»Ein Glück, dass die Möwe euch geholt hat!«, rief er.

»AllerdingsAllerdings«, sagte die Möwe, die neugierig auf den Rand des Kastens hüpfte. Die zweite Möwe flatterte gleich dazu.

»EndlichIstHierMalWasLos«, krächzte sie zufrieden.

Sofort machten sich die drei Freunde daran, Gruyère aus dem Drahtgeflecht zu befreien. Das war gar nicht so leicht, doch mit ihren scharfen Zähnen schafften sie es schließlich, den Draht durchzunagen. Gruyère setzte sich erleichtert auf und rieb sich die wunden Gelenke.

»Ich hänge hier schon eine ganze Weile fest«, sagte er. »Wenn die Möwe euch nicht geholt hätte, wäre ich bei der Kälte erfroren.«

»Wieso warst du überhaupt in diesem Schacht?«

»Na ja, heute früh hatte ein Arbeiter eine Tür offen stehen lassen. Da bin ich natürlich sofort hinein ins Schiff gewitscht und hab mich umgesehen, aber irgendwann wollte ich wieder raus. Nur waren alle Türen nach draußen zu. Da habe ich diesen Luftschacht entdeckt.«

»Hast du denn deine Familie gefunden?«

»Reden wir darüber lieber später«, sagte Gruyère. »Es gibt gerade eine sehr dringliche Sache.«

»IsSowiesoNiemandDa«, plärrte die eine Möwe frech.

Gruyère tat so, als hätte er sie nicht gehört, und sah die Freunde ernst an.

»Also, während ich im Schacht festhing, kamen zwei Männer hier aufs Deck. Ich habe mitbekommen, wie sie sich an einer der Kisten an der Wand zu schaffen machten. Sie dachten, sie wären allein, und haben sich die ganze Zeit leise unterhalten. Zuerst habe ich nicht richtig kapiert. Der eine sagte so etwas wie: dass sie jetzt erst fünftausend bekommen würden, und den Rest, wenn das Schiff ein Wrack sei! Das kam mir nicht geheuer vor. Ich hab natürlich die Ohren gespitzt. Was ich verstanden habe, ist: Heute Nacht soll etwas

passieren. Etwas Schlimmes, etwas Fürchterliches!«

Picandou sah sich um. Ob die zwei Männer irgendwo in der Nähe waren? Der Gedanke behagte ihm gar nicht.

»Und hast du gehört, was
das für ein Plan ist?«, fragte
Pomme de Terre.

Gruyère schüttelte den Kopf.
»Leider nein.«

Plötzlich hörten sie ein leises
Geräusch. Die Tiere erstarrten. Das Deck war in Mondlicht gebadet und ein Mensch
bewegte sich langsam an der
Wand entlang. Ein Mann in
schwarzer Kleidung und mit
schwarzer Kapuze kam
direkt auf sie zu.

Die Muskeltiere duckten sich noch tiefer in den Kasten. Die Möwen saßen reglos wie Statuen in der Nähe. Neben dem Luftschacht blieb der Mann stehen. Hatte er sie etwa entdeckt?

Picandous Herz klopfte so laut, dass er sicher war, der Mann müsste es hören. Aber dann beugte der sich in die andere Richtung. Picandou sah, wie er eine Plane beiseiteschob. Darunter war eine Kiste verborgen, die er öffnete.

Er holte eine Art Kanister heraus, der ziemlich schwer sein musste, denn der Mann ächzte, als er ihn zur Tür schleppte, sie aufzog und dahinter verschwand.

Pomme de Terre trippelte hinüber zur Kiste und kletterte die Plane hinauf. Die anderen folgten ihm. Der Deckel war aufgeklappt. Hier roch es merkwürdig. In der Kiste standen zwei Plastikbehälter.

Picandou verzog die Nase. »Riecht furchtbar«, sagte er. »Davon wird einem ja schlecht.«

Bertram betrachtete die Behälter nachdenklich. »Ich kenne den Geruch. Von den Ausflugsbooten.«

»Ich auch«, sagte Pomme de Terre. »Neulich, vom Auto! Das ist Benzin!« Er sprang wieder auf das Deck. »Ich weiß, was die vorhaben! Kommt! Bevor sie das Schiff in die Luft jagen.«

»In die Luft jagen?«, rief Picandou entsetzt. »Dann sollten wir so schnell wie möglich von Bord.«

»Erst müssen wir sie aufhalten«, sagte Gruyère.

»JetztIstHierEndlichMalWasLos!«, krähte eine Möwe, die sie interessiert beobachtet hatte.

»Wie soll das gehen?«, rief Picandou. »Wir gegen zwei Menschen?! Die zerquetschen und zertrampeln uns wie Fliegen.«

»Unsinn. Wir sind Muskeltiere!«, lispelte Bertram.

166

Er blähte vor Aufregung seine Hamsterbacken. Hier war es endlich: das richtig große Abenteuer!

»Wir sind doch schon mit ganz anderen Dingen fertiggeworden!«

»Bertram hat recht!«, rief jetzt auch Pomme de Terre. »Wir werden doch jetzt nicht schlappmachen und zuschauen, wie Gruyères Kahn in Flammen aufgeht. Wohin führt der Schacht?«

»In den Gang vor der Treppe«, sagte Gruyère.

Sie mussten nur noch das Gitter etwas mehr auseinanderbiegen, und dann passte selbst Bertram hindurch. Nur die Möwen waren enttäuscht, als sie begriffen, dass sie draußen warten mussten.

»Wir sind gleich wieder da«, sagte Bertram, bevor er hinter dem Gitter verschwand.

»DasWillManMalHoffen«, antwortete eine Möwe.

»DasWillManEchtMalHoffen«, sagte die zweite mürrisch.

Die Muskeltiere rutschten den Schacht herunter wie auf einer Rutschbahn. Der Schacht endete vor einer Lüftungsklappe, die einen Spalt offen stand. Vorsichtig quetschten sie sich nacheinander durch den Spalt. Unter ihnen lag ein holzgetäfelter Flur. Die Klappe war direkt neben einer Messingstange, an der eine Gardine hing. Die Muskeltiere hangelten sich daran nach unten und sprangen auf einen dicken, weichen Teppich.

Sie sahen sich um. Auf der einen Seite des Ganges hingen Gemälde in goldenen Rahmen, an der anderen Seite waren große Fenster, durch die das Mondlicht blass schimmerte. Sie lauschten, aber nichts rührte sich.

»Kommt«, flüsterte Gruyère und ging vor.

Die anderen folgten ihm so dicht auf den Fersen, dass sie jedes Mal zusammenstießen, wenn er plötzlich stehen blieb.

Der Gang öffnete sich zu einem Vorraum mit einer breiten Treppe. Auf die Decke des Raumes waren Wolken gemalt, und an einer Wand stand ein Jüngling aus Marmor auf einem Sockel.

Gruyère war inzwischen die Treppen hochgeklettert und kam auch schon wieder herunter.

»Da oben sind sie auch nicht«, sagte er leise.

Plötzlich hörten sie gedämpfte Stimmen und sahen, wie der Schein einer Taschenlampe über den Teppich glitt. Die Muskeltiere duckten sich hinter den Sockel.

Zwei schwarze Gestalten kamen um die Ecke und gingen an ihnen vorbei. Einer trug einen Rucksack auf dem Rücken, der andere schleppte den Kanister. Immer wieder blieben sie stehen und kippten den Inhalt des Behälters auf den Teppich. Der Gestank wurde immer stärker.

Es war ein stechender Geruch, von dem einem übel wurde. Die Männer bogen um die nächste Ecke, und wieder hörten die Muskeltiere das schwappende Geräusch, wenn die Flüssigkeit auf den Teppich traf.

Dann war es still. Auf den Spitzen ihrer kleinen Krallen schlichen die Muskeltiere den Männern nach. Sie standen jetzt in einem Salon. Das Licht der Taschenlampe huschte über seidene Sessel, Sofas und blank polierte Tischchen. An einer Wand stand ein hohes Regal mit Büchern und chinesischen Vasen.

»Warte«, sagte der Mann mit dem Rucksack. »Bevor wir das alles abfackeln, nehme ich noch ein paar Souvenirs mit.« Er sah sich um und deutete auf ein großes Bild über dem Marmorkamin. »Dafür krieg ich bestimmt 'nen Tausender, was meinst du?«

»Lass man, Maxe. Wir sollen nur den Job hier machen«, sagte der andere. »Keine Spuren. Du weißt schon.«

»Die Stimmen erkenn ich!«, flüsterte Pomme de Terre aufgeregt. »Das ist der Mann vom Parkplatz!«

»Na gut«, knurrte Maxe unwillig und begann, die Flüssigkeit über den Teppich und die Sofas zu schütten, während der andere anfing, die Bücher aus den Regalen zu ziehen und auf den Boden zu werfen.

»Erst nehmen wir uns den mit dem Benzinkanister vor«, flüsterte Pomme de Terre.

Bertram zückte den Degen. »Alle springen gleichzeitig auf ihn. Und dann stecht mit euren Degen und beißt so fest ihr könnt zu. Das wird ihn erschrecken und in die Flucht schlagen.«

Gruyère nickte zweifelnd. Auch er war etwas zittrig. Der Benzingeruch war fast unerträglich. Picandou war übel und auch etwas schwindelig. Lag das allein am Gestank oder auch daran, dass das mulmige Gefühl in seinem Bauch ihm zu verstehen gab, dass sie gerade einen riesigen Fehler machten?

»En garde!«, rief Bertram plötzlich und preschte los. Die andern drei stürzten mit gezogenen Degen hinterher. Sie sprangen dem Mann mit dem Rucksack auf den Rücken. Es war Maxe. Er ließ den Kanister los und torkelte überrascht zur Seite. Dabei rutschte ihm der Rucksack von der Schulter, und Picandou, der sich dort festgekrallt hatte, fiel samt Rucksack zu Boden. Ein Feuerzeug purzelte heraus, eine aufgewickelte Zündschnur und dann auch zwei Rollen Klebeband. Picandou sprang zur Seite, als eine der Rollen auf ihn zukam.

Der Mann stieß einen leisen Schrei aus. Bertram hatte sich an seinem Rücken festgebissen. Gruyère hielt sich an seinem Kragen fest und pikte ihm den Degen in den Nacken. Pomme de Terre krallte sich an seinem Bein fest. Der andere Mann drehte sich erstaunt um.

»Was is ’n los?«, rief er.

»Hier gibt's Ratten, aber mit den Biestern werd ich schon fertig«, sagte Maxe. Er richtete sich auf und schlug mit den Armen um sich. Der andere Gauner eilte auf Maxe zu. Er packte Gruyère am Kragen. Gruyère quiekte laut und biss den Mann in die Hand. Der schleuderte die Ratte wütend durch den Raum.

Gruyère knallte mit aller Wucht gegen das Bein eines Tischchens und blieb reglos darunter liegen.

Mehr hörte und sah Picandou nicht. Er rappelte sich auf, rannte, so schnell er konnte, den Gang hinunter und kletterte den Schacht hinauf. Die eisige Nachtluft schlug ihm entgegen. Zum Glück saßen die Möwen immer noch an derselben Stelle.

»Kennt ihr den Kai vor der Speicherstadt?«, keuchte Picandou atemlos. Die Möwen waren angenehm überrascht, ihn so schnell wiederzusehen.

»KlarKlar.«

»Da müssen wir sofort hin. Am besten wäre es, wenn ihr noch ein paar Kumpels zur Verstärkung holt. Wir brauchen so viele Möwen wie möglich. Wir müssen ganz schnell Hilfe holen. Meine Freunde sind in großer Gefahr!«

»AbenteuerIstGut!«, rief eine Möwe.

»AbendAbenteuerNochBesser!«, rief die andere.

»Na, dann los!«, sagte Picandou schnell, bevor die Möwen wieder loslachen konnten. Er hielt sich am Bein der einen Möwe fest, während sie sich in die Luft hinaufschwang. Diesmal vergaß er sogar vor Aufregung, die Augen zu schließen.

172

Kapitel 18

Fleißige Möwen

Im Schiffssalon hatte sich die Lage unterdessen nicht beruhigt. Der Mann, der Maxe hieß, hatte gerade ein Messer gezückt. Mit dem stach er jetzt wütend um sich. Bertram und Pomme de Terre waren wie erstarrt, als sie sahen, wie Gruyère reglos unter dem Tisch lag. Beide hatten den gleichen Gedanken: Hoffentlich ist er nicht tot.

Dann hatte das Messer, das neben Bertram niedersauste, den Hamster schnell wieder zur Besinnung gebracht. Gerade noch rechtzeitig ließ er Maxes Hemd los und sprang auf ein Sofa. Wie ein Trampolin beförderte es Bertram wieder in die Luft.

»Achtung!«, rief ihm Pomme de Terre zu, der immer noch am Hosenbein hing. Maxe hatte sich auf das Sofa gestürzt und versuchte, Bertram zu fangen. Bertram landete auf Maxes kahlem Schädel und pikste ihm den Degen in die Kopfhaut.

»Aua!«, schrie Maxe und fasste sich auf den Kopf.

Bertram biss ihn in die Hand. Maxe tobte und schüttelte den Kopf so heftig, dass Bertram hinunterfiel.

»Dich mach ich zu Salami«, zischte Maxe und stürzte hinterher. Doch Bertram verschwand unter einem Sofa. Als Pomme de Terre sah, dass er inzwischen ganz allein kämpfte, ließ er das Hosenbein los und sprang hinterher.

»Lass gut sein«, sagte der andere Mann. »Lass uns lieber weitermachen. Die Ratten räuchern wir eh gleich mit aus.«

»Von wegen«, flüsterte Pomme de Terre. Er hatte etwas auf dem Boden entdeckt – das Feuerzeug! Blitzschnell schoss er unter dem Sofa hervor, schnappte das Feuerzeug mit den Zähnen und verschwand damit wieder unter dem Sofa.

Der Mann hatte ihn gesehen. »Verdammt. Die Ratte hat das Feuerzeug!«, rief er und begann, die Sessel und Sofas beiseitezuschieben. Pomme de Terre und Bertram zogen sich immer weiter nach hinten zurück.

»Egal. Du hast doch bestimmt ein zweites Feuerzeug dabei, oder?«, fragte der andere Mann.

»Nee. Ich dachte, du hast noch eins.«

»Na schlau!« Der andere Mann blieb stehen und tastete jetzt seine Taschen ab. »Maxe, dafür warst du verantwortlich«, sagte er.

»Wieso ich? Ich dachte, du. Egal. Hilf mir lieber, das Feuerzeug zu finden. Sonst können wir einpacken.«

Pomme de Terre zwinkerte Bertram zu. Doch er hatte sich zu früh gefreut. Beide Männer schoben und kippten die Sofas und Sessel beiseite. Immer wieder konnten Pomme de Terre und Bertram ihnen geschickt ausweichen. Doch das Feuerzeug war auf Dauer zu schwer.

»Zu zweit schaffen wir das hier nicht!«, flüsterte Pomme de Terre schließlich erschöpft. Er sah sich um und deutete auf das hintere Ende des Salons. »Da lang.«

Wieder trippelten sie zwischen umgekippten Sofas und Tischen in die andere Ecke, doch die Männer hatten sie gesehen.

»Kreisen wir sie ein!«, rief der eine.

Sie schoben die Möbel von beiden Seiten weg. Ratlos sahen sich die zwei Muskeltiere nach einem Schlupfloch um. Und dann stand nur noch das Sofa, unter dem sie sich versteckt hielten.

Picandou hatte recht gehabt, schoss es Pomme de Terre durch den Kopf. Sie waren größenwahnsinnig gewesen. Sie hatten keine Chance gegen diese zwei Gauner. Sie hatten nicht auf ihn gehört, und nun war es zu spät.

»Wo ist eigentlich Picandou?«, flüsterte er.

»Abgehauen. Der Feigling hat sich einfach aus dem Staub gemacht«, begann Bertram und stockte. Maxes Fuß war jetzt direkt vor ihnen. Er bückte sich und seine Hand griff unters Sofa. Bertram hob den Degen und pikste ihn mit aller Wucht in den Handrücken. Maxe schrie auf.

»Was zum Teufel!«, knurrte der andere Mann. »Hast du das Feuerzeug?«

Er kam auf Maxe zu. Plötzlich blieb er stehen und bückte sich. Er hatte Gruyères leblosen Körper entdeckt.

»Heh, schau mal! Eins von den Biestern hätt ich schon mal«, sagte er.

Er hob seinen Fuß an, um den kleinen Körper unter seinem Schuh zu zerquetschen.

»Nein!«, piepsten Bertram und Pomme de Terre verzweifelt. Sie ließen das Feuerzeug los und stürzten auf das Bein zu.

»Ich hab's!«, rief Maxe und hob das Feuerzeug triumphierend auf.

Die Möwen hatten Picandou unter der Brücke neben der Kaimauer abgesetzt, genau dort, wo Picandou das letzte Mal den Ratten begegnet war. Jetzt rief er, so laut er konnte, nach Rattila. Seine Stimme hallte unter der Brücke. Es dauerte nicht einmal eine Minute, da hörte er die Stimmen der Ratten. Sie grölten:

Sssack zerreißen,
Sssack zerreißen!
Kräftig in dasss
Fressen beißen.
Beißen, beißen,
schmatzen, nagen.
Voll der Magen!

»Ruhe«, befahl Rattilas Stimme aus der Dunkelheit, und kurz darauf tauchten sie alle unter der Brücke auf. »Wer ruft mich da?«, rief Rattila.

»Ich bin's, Picandou! Meine Freunde sind in Gefahr. Ihr müsst schnell kommen!« Picandous Stimme überschlug sich vor Aufregung.

»Du hassst Glück«, sagte Rattussi. »Wir waren zzzufällig wegen der Touri-Ressstaurants wieder hier in der Gegend.«

»Allerdings hassst du da Glück.« Rattila nickte. »Was ist denn passiert?«

Schnell erzählte Picandou, was geschehen war. Rattila zögerte nicht lange, auch nicht, als Picandou ihm erklärte, dass die Möwen sein Team zum Schiff fliegen müssten.

»Hey!«, rief er den Möwen zu. »Das wird lussstig! Auf wasss warten wir noch. Auf geht'sss!«

Die Möwen hatten in Windeseile noch zwanzig weitere Kumpel auftreiben können, die gegen eine Beteiligung am Müllsack bereit waren, beim Flugdienst mitzumachen. Sie hockten neugierig auf dem Brückengeländer und warteten auf ihren Einsatz.

Jede Möwe trug drei Ratten hinüber zum Schiff und setzte sie am Luftschacht ab. Dann flogen sie zurück, um die nächsten Passagiere zu holen. Das alles passierte überraschend schnell. Die Ratten der Lüfte waren fix, wenn sie wollten.

Picandou und Rattila führten das Heer an. Erst rutschten sie den Luftschacht hinab, liefen über die weichen Teppiche, die ihre vielen Schritte dämpften, und erreichten schließlich den Salon. Sie waren keine Sekunde zu früh.

Ein Mann schob gerade ein Sofa beiseite, und zugleich schrien eine Maus und ein Hamster: »Nein!«

Rattila versuchte, die Lage zu überblicken. Zum Glück war er schnell von Begriff. Ein zweiter Mann holte mit dem Fuß über dem leblosen Körper einer Ratte aus.

»Gruyère!«, rief Picandou.

»Losss Leute!«, rief Rattila. »Tempo!«

Vierzig Ratten sprangen gleichzeitig auf den Mann zu.

Pomme de Terre und Bertram sahen zuerst nur, wie der Mann sich plötzlich drehte, die Hände über dem Gesicht zusammenschlug und gegen das Bücherregal fiel. Schnell packten die zwei Muskeltiere den leblosen Gruyère und zogen ihn unter eine Couch. Dann erst erkannte Bertram Rattila, zückte seinen Degen und warf sich ins Gefecht.

Der Mann war auf den Boden gefallen und machte plötzlich merkwürdige glucksende Geräusche. Auch seine Taschenlampe hatte er dabei verloren.

»Was ist mit dir?«, rief Maxe nervös. Er kapierte nicht gleich, was am Bücherregal vor sich ging.

»Hi-hi-hilfe. Ich kann nicht mehr«, keuchte der andere Mann. »Hi-hi-hi. Aufhören. Bitte. Aufhören. Hi-hi. Nein. Hihi. Nein – nein.«

»Was ist denn auf einmal so lustig?«

Maxe stolperte hinüber zum Regal. Dann krümmte auch er sich und fing an zu kichern. Er glucste und gackerte, bis ihm die Tränen aus den Augen liefen, denn auf Rattilas Pfiff hin hatte sich die eine Hälfte der Ratten auf Maxe gestürzt.

»Nein! Nein! Nicht mehr ki-ki-ki-hihi-itzeln«, keuchte er und schnappte nach Luft.

Die Möwen hatten inzwischen Rattussi und die restliche Mannschaft hinübergebracht. Picandou hatte sie an Bord empfangen und sofort durch den Luftschacht geführt. Staunend betrachtete er die zwei Männer, die sich lachend auf dem Boden wälzten.

»Was ist mit ihnen los?«, fragte er Rattila.

»Unsssere Spezzzialtechnik. Sssehr wirkungsvoll. Damit kriegt man jeden klein. Bessser alsss jeder Bisss. Wart'sss ab. Die tun gleich allesss, wasss wir wollen, wenn wir nur aufhören.«

»Und was ist das genau für eine Technik?«

Bevor Rattila antworten konnte, gab es einen lauten Knall. Niemand hatte bemerkt, wie zwei große chinesische Vasen, die oben auf dem Regal standen, sich immer weiter Richtung Rand bewegten, kurz wackelten und dann krachend auf den Köpfen der zwei Ganoven landeten. Das Kichern verstummte. Maxe machte nur »Uff«, und sackte auf die Brust des anderen, der reglos auf dem Boden lag.

»Versssenkt«, sagte eine Stimme von oben. Rattussi und ihre Rattenschar lugten zufrieden vom Regal hinunter.

Rattila nickte ihr wohlwollend zu. »Sssaubere Arbeit, Schatz.«

Rattussi und ihr Team sprangen vom Regal hinab. Jetzt kamen auch Pomme de Terre, Bertram und die anderen Ratten dazu.

»Von wegen Feigling«, flüsterte Pomme de Terre dem Hamster zu. »Ohne Picandou wären wir nicht mehr am Leben.«

»Allerdings«, sagte Bertram. »Allerdings.«

»Allerdings was?«, fragte Picandou, als er die beiden begrüßte.

»Ohne dich – wären wir jetzt Salami«, sagte Bertram.

Rattussi tippte Picandou auf den Rücken.

»Und wasss sssollen wir jetzt mit denen hier machen?«, fragte sie.

Picandous Blick fiel auf die zwei Rollen Klebeband, die noch immer auf dem Boden lagen.

»Fesseln«, sagte er und deutete auf die Rollen.

Rattila betrachtete sie skeptisch. »Wie sssoll man denn damit bitte schön jemanden fessseln?«, fragte er.

»Frau Fröhlich hat damit sogar Regale festgemacht. Das ist besser als jedes Seil«, sagte Picandou und lief zu einer Rolle. Mit den Zähnen zog er an einem weißen Papierstück, dem ein brauner Streifen folgte.

»Leg mal die Pfote drauf. Aber nur ganz leicht«, nuschelte er mit zusammengebissenen Zähnen.

»Esss klebt«, stellte Rattila überrascht fest.

»Genau! Und je mehr ich ziehe, je länger wird es. Damit umwickeln wir jetzt diese beiden Kerle. Klebeseite in Richtung Kerl.«

Rattila grinste und wandte sich an seine Truppe.

»Zzzehn Mann vortreten. Vier halten die Rolle«, befahl er. »Sssechs ziehen an diesem klebrigen Band hier und wickeln esss um die Kerle.« Er deutete auf die zwei Männer. »Zack! Zack!«

Picandou rollte schon die zweite Rolle Klebeband hinüber und zog den Streifen aus.

»Um den ganzen Körper! Und dann gleich noch mal!«, rief er den Ratten zu, die die Klebestreifen im Maul trugen. Behände kletterten sie auf die Männer und sprangen auf der anderen Seite wieder herunter.

Auch die anderen Ratten kamen ihnen zu Hilfe. Sie schoben und rollten die noch ohnmächtigen Kerle so lange durch den Salon, bis jeder von Kopf bis Fuß mit Klebeband umwickelt war. Sie sahen jetzt wie unförmige Würste aus, aus denen nur je eine Nase und zwei Augen hervorlugten.

»Sssaubere Sssache!«, sagte Rattila zufrieden, als sie endlich fertig waren.

Picandou sah sich um. »Wo ist denn Gruyère?«

»In Sicherheit«, sagte Pomme de Terre. Er und Bertram führten alle unter ein umgekipptes Sofa. Dort lag Gruyère mit geschlossenen Augen und rührte sich nicht.

»Ich fürchte, er bewegt sich nicht mehr«, sagte Bertram mit gepresster Stimme.

»Ist er etwa tot?«, rief Picandou erschrocken und beugte sich über die Ratte. »Armer Gruyère, oh je. Was machen wir nur?«

»Lasss mich mal vor!« Rattila schob Picandou beiseite und legte ein Ohr an Gruyères Brust.

»Sssein Herz schlägt«, stellte er fest. »Aber er hat hier zzzwei Beulen. Eine alte, die kleiner issst, und eine neue, die zzziemlich viel größer issst.«

»Wahrscheinlich hat er die beim Aufprall abgekriegt«, sagte Pomme de Terre.

Rattila blickte hinüber zu seiner Frau. »Rattussi, nimm deine Leute und schau mal, ob du hier irgendwo Eisss findessst.«

»Vielleicht an der Bar«, schlug Pomme de Terre vor. »Bei Klemke gab's dort einen Kühlschrank.«

Als Rattussi und ihr Gefolge kurz darauf mit einem Eiswürfel zurückkehrten, legte Rattila ihn an Gruyères Kopf.

»Aber wie soll das denn helfen?«, begann Picandou, da öffnete Gruyère die Augen und blinzelte überrascht in die Runde. Alle beugten sich über ihn.

»Wer seid ihr denn?!«, fragte er und starrte die Ratten an. »Gehört ihr auch zum Labor? Seid ihr etwa die Neuen?«

»Oh nein«, seufzte Pomme de Terre. »Er hat schon wieder sein Gedächtnis verloren!«

Gruyère setzte sich langsam auf und auf einmal entdeckte er die drei Muskeltiere.

»Picandou, Bertram und Pomme de Terre!«, rief er.

»Uff, er hat uns doch nicht vergessen«, sagte Picandou erleichtert.

»Wieso sollte ich euch vergessen?«

»Na, weil du gerade so merkwürdig geredet hast«, sagte Pomme de Terre.

»Ach, für einen Moment dachte ich, ich sei wieder im Labor. Und dann fiel mir ein, was passiert ist.«

»Was denn für ein Labor?!«

»Im Versuchslabor. Da lebte ich in einem Käfig. Die haben mir dort Nadeln in den Kopf gepikst, und dann musste ich den Weg durch einen Irrgarten finden. Und wenn ich es geschafft hatte, bekam ich eine Belohnung. Die Menschen nannten es Expediment oder so ähnlich.«

»Irrgarten? Im Labor? Mit Nadeln gepikst? Das ist ja furchtbar!«, rief Picandou.

»Nein, schön war es nicht, dieses Leben. Vielleicht habe ich auch deshalb alles so schnell vergessen. Wer weiß.« Gruyère lächelte den Muskeltieren zu. »Ach, ich bin so froh, dass ich nicht mehr dort bin, sondern hier bei euch.«

»Und wir erst«, sagte Bertram gerührt. »Übrigens, wenn du der Profi im Irrgarten warst, erklärt das vielleicht, warum du vom Hafen den Weg zum Kai gefunden hast!«

Er hatte nicht vergessen, dass er damals als Ortsführer ziemlich versagt hatte.

»Kann schon sein«, sagte Gruyère bescheiden. »Die haben uns ganz schön gedrillt.«

»Du willst also damit sagen«, mischte sich Pomme de Terre ein, »dass du doch keine Schiffsmaus bist?«

»Schiffsmaus? Aber nein. Außerdem bin ich eine Ratte und keine Maus. Und meinen Namen weiß ich auch wieder!«

»Ja, wie heißt du denn?«, fragte Picandou.

»Josephine«, antwortete die Ratte. »Josephine ist mein echter Name.«

»Josephine?« Picandou starrte sie fassungslos an. Aha, dann war die Ratte also genauer gesagt eine Rättin! Krass. Denn Josephine war ja eindeutig ein Frauenname. Er linste zu Pomme de Terre. Ob er es auch kapiert hatte? Doch Pomme de Terre verzog keine Miene.

»Aber ich mag Gruyère genauso gerne«, erklärte Gruyère beziehungsweise Josephine. »Zwei Namen sind sowieso besser als einer. Dann kann ich mir je nach Laune aussuchen, wie ich gerade heißen möchte.«

Er, beziehungsweise sie, zwinkerte Picandou zu. »Du siehst, diesmal habe ich nichts vergessen.«

Picandou nickte nur schwach.

Das musste er erst einmal verdauen.

Kapitel 19

Josephines Flucht
und ein wichtiger Zettel

Es wurde noch ein langer Abend. Rattila hatte acht Ratten abgestellt, die die beiden Männer bewachten und sofort melden sollten, wenn es Probleme gab. Zum Glück geschah das nicht, denn die zwei waren so gut eingepackt, dass keiner von beiden auch nur einen Finger bewegen konnte. Rattussi wollte unbedingt das Schiff besichtigen, und Gruyère führte sie und die anderen durch die vielen Räume. Sie kamen aus dem Staunen nicht mehr heraus.

»Viel schöner alsss die Gullytunnel, findessst du nicht«, schnurrte Rattussi und sah Rattila mit großen Augen an. »Also ich könnte mir schon vorstellen, unsssere Kinderchen hier großßß zzzu zzziehen.«

»Die Küche sieht mir etwas zzzu leer ausss«, antwortete Rattila und sah sich in dem blank gescheuerten, von Edelstahl glänzenden Raum um. »Wie willssst du denn da unsssere Kinderchen ernähren?«

»Das ändert sich, sowie man in See sticht«, sagte Bertram, dem gerade dämmerte, warum ihm das Schiff so bekannt vorkam. »Jedenfalls im Fernsehen ist das so.«

»Und das ist ja schon bald«, sagte Gruyère-Josephine. Sie wandte sich an Bertram. »Hast du etwa auch ›Schiff meiner Träume‹ geguckt? Das war immer meine Lieblingsserie.«

»Ich hab nur drei oder vier Folgen mit Serafina angeschaut«, sagte Bertram. »Die sieht nämlich ab und zu heimlich Fernsehen während ihrer Putzarbeit. Und eine Folge spielte in der Küche.«

»Ich habe sie alle gesehen«, sagte Gruyère-Josephine. Er, beziehungsweise sie, schloss die Augen und deklamierte: »Um uns herum rauscht das Meer. Eine wunderbare Musik. Die lauen Sommernächte im Karibischen Meer, wenn die Sonne scharlachrot am Horizont verschwindet und der Abendstern am Himmel funkelt. Die Lichterketten der Häfen, die Möwen, die wie weiße Schatten aus der Dunkelheit auftauchen und ins Licht der Buglampe fliegen …«

»Moment, hast du dir das nun ausgedacht oder nicht?«, unterbrach Picandou.

»Nein, das war aus der Folge, wo sich die Frau in den Kapitän verliebt. Weißt du noch?« Gruyère-Josephine blinzelte dem Hamster zu.

»Die Folge habe ich nicht gesehen«, sagte Bertram.

»Ich fünfmal«, sagte Gruyère-Josephine. »Im Labor lief der Fernseher immer für Pomme de Terre.«

»Für mich?«, fragte Pomme de Terre überrascht.

»Nein, so hieß der Affe, der meinen Käfig umgeschmissen hat. Die Labormenschen hatten ihn Pomme de Terre getauft, weil er so gerne Kartoffeln aß.«

»Was hat das damit zu tun?«, fragte Pomme de Terre.

Bertram neigte sich etwas vor. »Ich wollte das Euch ja nicht sagen, als Ihr Euch vorgestellt habt, aber Pomme de Terre bedeutet auf Französisch Kartoffel. Jedenfalls hatte das Tassilos Französisch-Nachhilfelehrer behauptet.«

»Du hast es die ganze Zeit gewusst und nichts gesagt!«, rief Pomme de Terre entrüstet.

»Ja und? Es ist trotzdem ein sehr schöner Name«, sagte Picandou. »Und er passt einfach zu dir. Viel besser als Ernie.«

»Stimmt. Er klingt sehr adelig«, sagte Bertram. »Wegen dem ›de‹, das bedeutet nämlich ›von‹.«

»Übrigens«, warf Picandou vergnügt ein, »sagt Frau Fröhlich immer, drei Pellkartoffeln und ein Stück Gruyère, das sei das beste Abendessen überhaupt! Du verstehst?«

Pomme de Terre wurde rot.

»Und – falls noch Interesse besteht«, meldete sich Gruyère, der eigentlich Josephine hieß, »wollte ich meine Geschichte noch zu Ende erzählen. Ich meine, falls das jemanden überhaupt ...«

»Doch, doch!«, riefen alle.

»Also«, sagte Gruyère-Josephine. »Irgendwie hatte Pomme de Terre sich an diesem Abend befreit. Und im Fernsehen lief gerade wieder diese Folge mit dem Kapitän und der Frau. Der Fernseher stand direkt neben meinem Käfig. Plötzlich sprang Pomme de Terre auf den Fernseher und stieß dabei meinen Käfig vom Tisch. Ich glaube, er mochte die Serie nicht. Zu wenig Affen an Bord, vielleicht. Der Käfig überschlug sich, und dabei hab ich mich am Kopf verletzt. Diese Beule hier, die stammt von dem Sturz.«

Gruyère-Josephine deutete auf seinen beziehungsweise ihren Kopf.

»Aber dadurch ging die Käfigtür ganz plötzlich auf. Ich war auf einmal frei und bin losgelaufen. Ich weiß nicht mehr, wie und wohin, ich wollte nur weg, einfach weg. Und als ich wegen meiner Verletzung nicht weiterkonnte, bin ich wohl zusammengebrochen. So genau weiß ich es nicht mehr. Aber ich weiß noch, wie du mich gefunden hast. Den Rest kennt ihr.«

Gruyère-Josephine lächelte Picandou zu und ergriff seine Pfote. Picandous Herz machte einen kleinen Sprung. Jetzt wurde auch er rot.

»Wir sollten langsam zu den Möwen zurückgehen«, schaltete sich Pomme de Terre rasch ein. »Sonst fliegen die noch ohne uns ab. Ich glaube nicht, dass so viele Möwen ewig auf uns warten.«

»Doch«, sagte Picandou. »Ich habe ihnen Anteile am Müllsack versprochen. Hoffentlich reicht der für alle.«

»Ähm, Rattila und ich müsssten noch ein Momentchen überlegen, ob wir nicht doch alle hierbleiben. Besonders nach dem, wasss du so beschrieben hast«, sagte Rattussi. Sie lächelte Gruyère zu. »Außerdem sssollten wir die zzzwei Ganoven nicht unbewacht an Bord lasssen.«

»Ich jedenfalls muss zurück in den Laden«, sagte Picandou schnell. Auf einmal befürchtete er nämlich, dass die Muskeltiere auf die Idee kommen könnten, auch hierzubleiben.

»Ich komm mit«, sagte Pomme de Terre. »Der Schreibtisch wartet.«

»Dafür braucht ihr mich«, sagte Bertram. »Einer für alle und alle für einen!«

»Und ich komme auch mit«, fiepte Gruyère-Josephine. Die Ratte holte tief Luft.

»Die Wahrheit ist nämlich, dass ihr meine einzige Familie seid. Im Labor war ich allein, und auf diesem Schiff war ich es auch, bis auf die Möwen.«

Sie schaute die Muskeltiere ernst an.

»Ich habe mir im Käfig so sehr eine Familie gewünscht und davon geträumt, dass wir auf diesem Schiff leben würden. Nach dem Unfall und in meiner Verwirrung habe ich dann Traum und Wirklichkeit durcheinandergebracht. Versteht ihr?«

Die Muskeltiere nickten eifrig. »Gut, dann bist du wieder mit dabei«, sagte Picandou, der sich sehr darüber freute, es aber nicht so offen zeigen wollte. »Du musst allerdings wissen, dass die Lage noch immer sehr unsicher ist. Frau Fröhlich hat hohe Schulden. Keiner weiß, ob der Laden überleben wird. Vielleicht sind wir ja bald obdachlos.«

»Erinnere mich bloß nicht daran«, seufzte Pomme de Terre.

Sie trippelten gemeinsam wieder über die weichen Teppiche den Gang entlang. Als sie am Salon vorbeikamen, blieb Bertram plötzlich stehen.

»Wartet!«, rief er. »Ich habe eine Idee. Dafür brauche ich allerdings etwas zu schreiben.«

»Heh? Schreiben!?«, zischelte Rattila überrascht. »Wer sssoll denn hier schreiben?«

»Ich!«

»Red keinen Unsinn.«

»Doch.«

»Es klingt komisch«, unterbrach Pomme de Terre. »Aber er kann es wirklich. Was willst du denn schreiben?«

»Ich habe eine Idee. Für den Laden«, sagte Bertram.

Nach einigem Suchen fanden sie hinter dem großen Tresen der Rezeption Papier und sogar einige Tintenpatronen. Vorsichtig nagte Bertram ein Loch in zwei Patronen, ließ die Tinte in einen Aschenbecher laufen und tauchte die Kralle ein. Neugierig schauten alle über Bertrams Schulter. Auch wenn keiner wusste, was diese Zeichen bedeuteten, so waren sie doch beeindruckt. Als er fertig geschrieben hatte, las Bertram feierlich vor:

Libe polisei,

dise dibe wollten das shif ansüden mit bensin! wen es eine belonung gibt, bekomt sie frau Fröhlich: Fröhlichs dilikatesen, daichstrase, hamburg.

Die Ratten klatschten begeistert mit ihren Schwänzen Beifall.

»Kuriosss! Einfach kuriosss!«, rief Rattila. »Du bissst ein tollesss Wuscheltier. Erssst schreiben und dann auch noch diessse Idee, die von mir hätte sssein können!«

Auch die Muskeltiere klopften Bertram auf den Rücken.

»Du bist kein angehender Muskeltier, wie du immer sagst, sondern ein waschechter. Das hast du jetzt endgültig bewiesen«, sagte Picandou.

»Ja, das stimmt«, sagte Pomme de Terre. »Und eigentlich nicht erst seit heute.«

Bertram senkte bescheiden den Blick, aber er errötete vor Freude unter seinem Fell.

194

»Und dabei hab ich gedacht, dass ich euch immer nur auf die Nerven gehe. Ich bin mir mein ganzes Leben lang immer so unnütz vorgekommen. Bis ich euch kennengelernt habe.«

»Unnütz bist du wahrhaftig nicht!«, rief Picandou. »Ohne dich hätten wir Frau Fröhlich nie helfen können.«

»Ach«, sagte Bertram, und weil ihm vor lauter Freude nichts weiter einfiel, »Ach« und »Oijeh-oijeh.«

Sie gingen zurück in den Salon, wo die acht Ratten immer noch geduldig Wache hielten. Sie legten den Zettel neben die beiden Männer. Die starrten die Tiere mit einer Mischung aus Panik und Verwirrung an. Vor allem der Goldhamster, die zwei Mäuse und die Ratte mit den kleinen Degen in den Pfoten fesselten ihre Aufmerksamkeit. Was sie heute Nacht erlebt hatten, würde ihnen kein Mensch glauben.

Die Hafenratten begleiteten die Muskeltiere noch hinauf aufs Deck. Dort warteten die Möwen schon ungeduldig auf den Müllsack.

SssackZerreißen, SssackZerreißen!
KräftigInDasssFressenBeißen!

sangen sie zur Begrüßung. Das hatten sie wohl von den Ratten aufgeschnappt. Sie waren natürlich auch neugierig darauf, was passiert war. Also erzählten die Muskeltiere von den Ereignissen der Nacht und die Möwen hörten erstaunt zu. So etwas war ihnen noch nie zu Ohren gekommen.

Der Mond stand inzwischen tief am Himmel und der eisige Wind hatte sich gelegt.

»Wir sollten jetzt zurückfliegen, bevor wir alle zu Eiszapfen werden«, sagte Picandou.

»Wir bleiben«, sagte Rattussi. Sie sah Rattila an. »Esss issst Zeit für einen Tapetenwechsssel.«

»Als gäbe es im Gully Tapeten«, brummte Rattila.

»Schatzzz«, sagte Rattussi. »Etwas Schöneresss als diesssen Dampfer hier werden wir nie wieder finden.«

»Dann versprecht, dass ihr euch meldet, wenn ihr wieder in den Hamburger Hafen einlauft«, sagte Gruyère. »Und berichtet, was mit den Männern passiert ist.«

Das versprachen die Ratten gerne. Sie blieben noch an Deck und winkten, während die Möwen mit den Muskeltieren in den Krallen die Schwingen ausbreiteten und davonflatterten. Das erste graue Morgenlicht spiegelte sich schwach in den Wellen, die sich über dem Fluss kräuselten, und bald waren die Möwen nur noch winzige Punkte am Horizont.

Kapitel 20

Eine letzte Überraschung und ein Großauftrag

Der Lärm im Laden weckte die Muskeltiere. Sie hatten so tief geschlafen, dass sie nicht gehört hatten, wie Margarethe und Frau Fröhlich den Laden am Morgen betreten hatten. Auch von den Vorbereitungen hatten sie nichts mitbekommen.

Verschlafen kletterten sie die Kellertreppe hinauf, um an der Tür zu lauschen. Im Laden drängten sich viele Menschen und es roch nach Kaffee. Auf der Theke standen Marmeladentöpfe neben einem großen Korb mit frischen Croissants. Die Muskeltiere staunten. Damit hatten sie nicht gerechnet. Frau Fröhlich schien wieder neue Hoffnung zu haben, nachdem sie die dringendsten Rechnungen bezahlt hatte.

Mit neuem Schwung hatte sie den Laden mit einem Frühstücksbuffet wieder eröffnet, »Für Stammkunden und solche, die es werden wollen«, wie Bertram auf einem Schild entzifferte, das an der gegenüberliegenden Wand hing.

»Da sind sogar Menschen mit Fotoapparaten«, flüsterte Pomme de Terre aufgeregt. Nanu, was wollten die plötzlich alle in Frau

198

Fröhlichs Laden? Ihr Frühstücksbuffet war bestimmt köstlich, aber doch kein Fall für die Hamburger Zeitung?

Plötzlich hoben viele Leute ihre Kameras und das Blitzlicht zuckte.

Ein hochgewachsener Herr mit weißer Löwenmähne hatte den Laden betreten. Er trug einen eleganten Anzug mit Einstecktüchlein und eine blaue Krawatte mit goldenen Ankern.

»Ich möchte bitte einen Milchkaffee und ein Croissant mit Marmelade«, sagte er zu Frau Fröhlich, die gerade Tassen mit Kaffee an die Gäste verteilte.

»Schon unterwegs!«, rief Margarethe.

Wieder zuckten die Fotoblitze, als sie dem Mann eine dampfende Tasse servierte.

»Wer von Ihnen ist Frau Fröhlich?«, fragte die Löwenmähne.

»Das bin ich«, sagte Frau Fröhlich und stellte ihm ein Croissant mit Marmelade auf die Theke.

»Sie sind also die Eigentümerin dieses hübschen Ladens?« Er bestrich sein Croissant mit Marmelade und biss hinein. »Das ist ja unerhört gut!«, rief er überrascht. »Ganz delikat! Wo haben Sie diese Marmelade her?«

»Selbst gemacht«, sagte Frau Fröhlich verlegen. »Probieren sie auch mal die hier. Das ist Chili-Himbeere.«

Der Mann tunkte sein Croissant in das Schälchen mit der Chili-Himbeer-Marmelade und biss hinein. »Unglaublich!«

»Rhabarber-Banane schmeckt auch sehr gut«, rief Margarethe und stellte ihm gleich noch ein paar Schälchen dazu. »Hier hätten wir noch Kirsch-Ingwer. Und Erdbeer-Minze, das ist auch eine gute Kombination.«

Der Mann kostete alle Schälchen durch. Er lächelte den beiden zu.

»Darüber müssen wir uns gleich näher unterhalten«, sagte er. »Aber jetzt, liebe Frau Fröhlich, kommen wir zur Hauptsache. Also zur Belohnung.«

»Was für eine Belohnung?« Frau Fröhlich war ahnungslos.

»Sie wissen von nichts?«

Frau Fröhlich sah Margarethe fragend an und Margarethe zuckte die Schultern.

Der Mann lächelte. »Dann werde ich Sie aufklären müssen. Auf meinem Schiff, der *La Traviata* …«

»Etwa das ›Schiff meiner Träume‹? Das ist meine Lieblingssendung!«, rief Margarethe aufgeregt.

»Na, dann müssen Sie unbedingt an Bord kommen, gnädige Frau«, sagte der Mann. »Jedenfalls wurde heute Nacht auf meinem Schiff eingebrochen.«

»Aber was hat das mit uns zu tun?« Frau Fröhlich sah ihn erschrocken an.

»Zwei Männer haben versucht, mein Schiff anzuzünden – sie hätten es auch beinahe geschafft, nur wurden sie dabei aufgehalten. Komischerweise scheint eine Möwe den Alarm ausgelöst zu haben. Fragen Sie mich nicht, wie sie das geschafft hat. Die Polizei konnte den Alarm orten, kam an Bord und hat die zwei Burschen entdeckt. Sie waren mit Klebeband gefesselt und faselten wirres Zeug. Aber sie haben ihre Tat gestanden. Außerdem stank alles um sie herum nach Benzin und eine Zündschnur und Kanister lagen neben ihnen. Es hätte entsetzlich enden können für die *La Traviata*.«

»Das ist ja schlimm! Wer macht denn so etwas?«, rief Margarethe.

»Auch das haben die zwei verraten. Sie arbeiteten für jemanden, der die Traviata vernichten wollte, damit er unsere Kunden und unsere Aufträge kriegt. Denn natürlich hätte so ein Brand dazu geführt, dass die Traviata lange, lange Zeit nicht mehr hätte fahren können. Wenn überhaupt. Wahrscheinlich hätte ich alles verloren – unsere Gäste, den Auftrag fürs Fernsehen, einfach alles. Es wäre nicht auszudenken gewesen.«

»Ein großes Glück, dass jemand diese Schurken aufgehalten hat!«, sagte Frau Fröhlich. »Aber, verzeihen Sie, ich verstehe noch immer nicht, was das mit mir zu tun hat?«

Der Mann zog ein gefaltetes Blatt Papier aus der Brusttasche und hielt es ihr vor die Augen. »Neben den Dieben lag dieser Zettel«, sagte er.

Bertram richtete sich noch etwas mehr auf und strahlte voller Stolz. Frau Fröhlich holte ihre Lesebrille aus dem Etui, las den Zettel und reichte ihn an Margarethe weiter. Wieder klickten Fotoapparate. Margarethe wurde blass. Sie hatte die Schrift wiedererkannt.

Ein schlanker Mann im Regenmantel trat vor.

»Wissen Sie vielleicht, wer diesen Brief geschrieben hat?«, fragte er. Er zückte einen Polizeiausweis. »Kiesewetter, Kommissariat Hafencity.«

»Katzenkleister, die Polizei!«, flüsterte Pomme de Terre erschrocken. »Das hat uns gerade noch gefehlt.«

Die Frauen schüttelten den Kopf.

»Keine Ahnung«, sagte Frau Fröhlich. »Wer immer das geschrieben hat, scheint eine Lese-Rechtschreib-Schwäche zu haben.«

Margarethe wirkte sichtlich benommen und flüsterte etwas vor sich hin. Die Muskeltiere verstanden den Namen Heinrich.

Bertram fühlte sich in seiner Ehre angegriffen: »Ich muss vielleicht noch etwas üben«, rechtfertigte er sich. »Aber immerhin! Hergefunden haben sie zu uns, und darauf kommt es ja an!«

»Gut, Herr … Wie war der Name? Nieselwetter? Oh nein, ein Scherz! Es nieselt einfach zu oft hier in Hamburg. Natürlich Kiesewetter … also, Herr Oberkommissar«, sagte der Schiffsbesitzer. »Ich meine, das Wichtigste ist doch, dass Sie die Übeltäter gefasst haben. Mit wessen Mithilfe auch immer. Und ich kann mich nur an die Bitte des unbekannten Helden halten.« Er griff wieder in seine Brusttasche und holte diesmal einen Scheck heraus. »Meine Dame, würden Sie dieses kleine Dankeschön annehmen? Es ist viel weniger als das, was ich Ihnen eigentlich schuldig bin.«

Bis Frau Fröhlich ihre Lesebrille gezückt hatte, war Margarethe ihr schon zuvorgekommen.

»Zehntausend Euro?«, stöhnte sie.

Pomme de Terre biss sich vor Aufregung fast in den Schwanz. »Fast so hoch – sind – sind die Schulden! Die sind damit beglichen.«

»Das kann ich nicht annehmen«, rief Frau Fröhlich. »Ich hab doch gar nichts gemacht!«

»Oh nein!«, murrten die Muskeltiere leise.

»Doch«, sagte der Schiffsbesitzer. »Auch wenn es ein Rätsel bleibt, aber so wünscht es der Unbekannte. Denken Sie daran, was er mir erspart hat!«

Und damit drückte er ihr den Scheck in die Hand.

Frau Fröhlich hatte Tränen in den Augen. Margarethe faltete die Hände zu einem stillen Gebet. Die Kameras klickten und die Muskeltiere fassten sich an den Pfoten.

»Einer für alle und alle für einen«, seufzte Picandou. »Heute ist der glücklichste Tag in meinem Leben. Abgesehen natürlich von dem Tag, als ich zum ersten Mal in Frau Fröhlichs Müllsack versank.«

Der Reeder wandte sich wieder an Frau Fröhlich und Margarethe. »So, meine Damen, jetzt müssen wir noch über etwas Geschäftliches reden: Könnten Sie mein Schiff regelmäßig mit dieser traumhaften Marmelade beliefern?«

»Aber natürlich«, rief Frau Fröhlich. »Mit dem größten Vergnügen! Dann muss Margarethe aber jetzt jeden Tag kommen, sonst schaffe ich das nicht. Das sind ja ganz andere Mengen!«

Margarethe strahlte und schickte einen weiteren Blick zum Himmel.

»Und wir?«, murmelte Gruyère beziehungsweise Josephine.

»Eigentlich sind ja wir die Helden«, sagte Bertram.

»Keine Sorge«, sagte Picandou zu den Muskeltieren. »Wir bedienen uns dann später. Und bis dahin«, er gähnte, »hauen wir uns noch ein bisschen aufs Ohr. Wir haben es uns wirklich verdient.«

Nachwort

Es war dunkel geworden, der Laden war aufgeräumt, und Frau Fröhlich zog den Mantel an.

»Kommst du?«, fragte sie.

»Ich brauche noch ein paar Minuten. Ich hole nur die Weihnachtsdekorationen aus dem Keller«, antwortete Margarethe. »Geh ruhig schon.«

Frau Fröhlich öffnete die Tür.

»Meinst du, wir schaffen es?«, fragte sie. »So ganz ohne meinen Heinrich?«

»Ja, ich glaub schon. Jetzt wird alles gut, liebe Gerda.«

»Und wir werden das Gute miteinander teilen«, antwortete Frau Fröhlich. »Ich frage mich nur, wer wohl diese Brandstifter erwischt hat? Und wer diesen Zettel geschrieben hat? Irgendjemand, den wir vielleicht kennen?«

Margarethe lächelte unbestimmt. »Wer weiß«, sagte sie nur. »Es gibt mehr Wunder und Geheimnisse zwischen Himmel und Erde, als wir ahnen.«

Sie verabschiedeten sich, und nachdem sich die Tür hinter Frau Fröhlich geschlossen hatte, ging Margarethe in den Keller, um die Kisten mit der Weihnachtsdekoration zu holen. Als sie die Stufen wieder hinaufstieg, blieb sie stehen und wandte sich um.

»Danke, lieber Heinrich«, sagte sie leise. »Danke! Wo immer du auch bist.«

Sie schloss die Kellertür und ging mit den Kisten in die Küche.

Als sie etwas später in Mantel und Schal den Laden durchquerte und das Licht ausschaltete, fiel ihr Blick auf einen Zettel in der vertrauten Schrift. Er lag im Spalt unter der Kellertür.

Darauf stand:

Könntest du bite dafür sorgen,
das jeden abend ein teler mit Käse
und salad auf der Kelertrepe stet.

dein Heinrich.

Worterklärungen

Vielleicht fragst du dich ja, wie man den einen oder anderen Namen ausspricht, denn sie sind ja alle französisch. Es hilft, wenn du ein bisschen näselst und sie ungefähr so sagst:

Picandou: Pikohndu

Camembert: Kamombeer

Saint Albray: Sant Albrä

Gruyère Réserve: Grüieer Reserwee

Pomme de Terre: Pomm dö Terr

D'Artagnan: Dartanjo (Das »o« ist in Wirklichkeit ein Nasal, aber den kann man nicht schreiben.)

Dann gibt es ja auch etwas Hamburgerisch:

Klüsen: Augen

Kladdermatschig: sehr matschig

Digger: Dicker

Man tau: Los geht's

Döspaddel: Dummkopf

Lüscherei: Unordnung

Fix: schnell

Bekakeln: besprechen

Schnieke: schick

Der Roman von den Drei Musketieren und D'Artagnan wurde 1844 von dem Franzosen Alexandre Dumas geschrieben.

Ute Krause wuchs in der Türkei, Nigeria, Indien und den USA auf. An der Berliner Kunsthochschule studierte sie Visuelle Kommunikation, in München Film und Fernsehspiel. Sie ist als Schriftstellerin und Illustratorin erfolgreich. Ihre Bilder- und Kinderbücher wurden in viele Sprachen übersetzt und für das Fernsehen verfilmt. Ute Krause wurde vielfach ausgezeichnet, u. a. von der Stiftung Buchkunst, und für den Deutschen Jugendliteraturpreis nominiert.

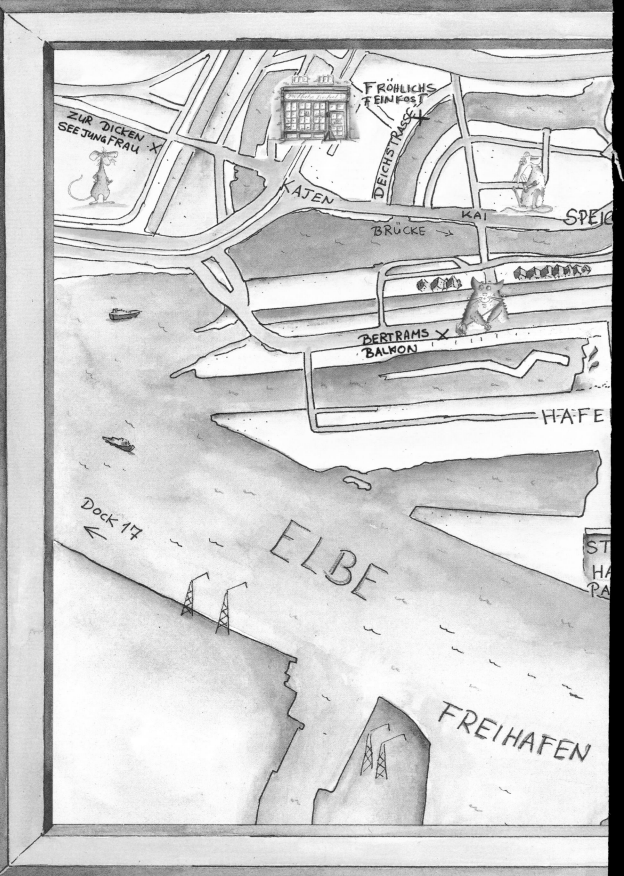